TSUBAME

DU MÊME AUTEUR

Le Poids des secrets

TSUBAKI, Actes Sud, 1999 ; Babel n° 712.

HAMAGURI (prix Ringuet de l'Académie des lettres du Québec), Actes Sud, 2000 ; Babel n° 783.

TSUBAME, Actes Sud, 2001 ; Babel n° 848.

WASURENAGUSA (prix Canada-Japon), Actes Sud, 2003 ; Babel n° 925.

HOTARU (prix du Gouverneur général du Canada), Actes Sud, 2004 ; Babel n° 971.

Au cœur du Yamato

MITSUBA (prix de l'Algue d'or), Actes Sud, 2007 ; Babel n° 1123.

ZAKURO, Actes Sud, 2009 ; Babel n° 1143.

TONBO, Actes Sud, 2011 ; Babel n° 1286.

TSUKUSHI, Actes Sud, 2012 ; Babel n° 1380.

YAMABUKI (prix Asie de l'ADELF), Actes Sud, 2014 ; Babel n° 1470.

L'Ombre du chardon

AZAMI, Actes Sud, 2015 ; Babel n° 1551.

HÔZUKI, Actes Sud, 2016 ; Babel n° 1623.

SUISEN, Actes Sud, 2017.

FUKI-NO-TÔ, Actes Sud, 2018.

MAÏMAÏ, Actes Sud, 2019.

SUZURAN, Actes Sud, 2020.

AKI SHIMAZAKI

TSUBAME

Le poids des secrets

roman

BABEL

I

Je lève les yeux.

Couvert de nuages épais, le ciel s'étend à l'infini. Il fait anormalement chaud et humide pour une fin d'été. C'est encore tôt le matin. Pourtant, je sens ma chemise déjà trempée de sueur.

Au-dessus de moi, un couple d'hirondelles passe rapidement. Elles vont et viennent entre le toit d'une maison et un fil électrique. Elles partiront bientôt vers un pays chaud. J'aimerais bien voyager librement comme elles.

Ma mère m'a dit une fois : « Si on pouvait renaître, j'aimerais renaître en oiseau. »

Je marche dans le petit chemin qui longe l'étang, un raccourci pour aller chez mon oncle. Je dois lui remettre des épis de maïs que ma mère vient de faire cuire à l'eau. La chaleur se propage à travers le papier journal. Mon oncle travaille à la journée sur une digue d'Arakawa où l'on construit un canal d'évacuation. Il transporte de la terre et du gravier avec une brouette. « La paye est minimale, mais c'est mieux que rien. »

En passant devant l'étang, j'aperçois des acores en pleine floraison. Je m'arrête et les regarde quelques instants. Je pense : « C'est étrange. Ces fleurs ne s'épanouissent d'habitude qu'au mois de mai ou de juin. » Il n'y a pas de vent, la surface de l'eau demeure immobile.

Après un moment, je me rappelle ce que ma mère m'a dit hier soir : « On n'a pas trouvé de rats dans la maison depuis plusieurs semaines. » Pour moi, c'était une bonne nouvelle, car le bruit des rats dérangeait notre sommeil. Pourtant, le visage de ma mère me semblait inquiet.

Je jette un caillou dans l'étang. Les ronds dans l'eau s'étendent en ondulant. Je les observe jusqu'à ce qu'ils disparaissent. Puis je continue à marcher d'un pas rapide.

Quand j'arrive chez mon oncle, il est sur le point de quitter sa maison. Étonné de ma présence si tôt le matin, il me demande :

— Qu'est-ce qu'il y a, Yonhi ? Ta mère est-elle malade ?

Je souris en secouant la tête :

— Non. Maman ne travaille pas aujourd'hui ni demain. Son patron et sa famille sont partis en vacances à la campagne.

Je lui tends le paquet. Curieux, il ouvre le papier journal. Un moment, je fixe du regard ses doigts fins, inappropriés à son dur travail manuel. Il s'écrie :

— Des épis de maïs ! Merci !

Il met le paquet dans son sac et prend de la monnaie dans la poche de sa vieille chemise.

— Tu peux acheter des bonbons, dit-il en me remettant l'argent.

Je m'exclame :

— Tant que ça !

Avec cet argent, je pourrai obtenir les bonbons auxquels je veux goûter depuis longtemps. Mon oncle me caresse la tête, l'air content :

— Pardonne-moi, Yonhi. Il faut que j'y aille. Si j'arrive en retard, je perdrai mon travail. Dis merci à ta mère. Je vous rendrai visite bientôt. Au revoir !

Il me quitte en courant.

Sur le chemin du retour, je croise un groupe de filles de mon âge. Toutes habillées d'un kimono et d'un *hakama**, elles se dirigent vers leur collège. Attachés d'un ruban, leurs cheveux noirs couvrent leurs épaules. Elles chantent une chanson, l'air joyeux. Un moment, je me demande : « L'école a-t-elle déjà recommencé ? » Pourtant elles n'ont rien dans les mains. Les yeux baissés, je continue de marcher.

Je ne vais jamais à l'école. J'étudie à la maison. Ma mère m'apprend les écritures japonaise et coréenne. Je sais bien maintenant le *hiragana*, le *katakana*, le *hangûl* et quelque trois cents

---

* Les mots en italique sont regroupés dans un glossaire en fin d'ouvrage.

caractères du *hanmun*. Pendant la journée, je fais le ménage, la lessive et les courses.

Je m'arrête et me retourne. Les élèves s'éloignent de plus en plus et enfin disparaissent de ma vue.

Je rentre à la maison. Ma mère est assise sur la chaise de bambou, devant l'entrée. Elle défait soigneusement les coutures de son *chima* noir avec des ciseaux. Elle se tourne vers moi :

— Ah, tu es déjà revenue ! Es-tu arrivée à temps pour le voir ?

— Oui. Il m'a dit de te remercier et qu'il nous rendrait visite bientôt.

Je lui montre l'argent que je viens de recevoir. Ma mère sourit :

— Tu as de la chance ! Garde-le bien.

Je regarde le *chima* sur ses genoux. Les bouts de fil sont tombés par terre. Elle ne garde ici qu'un *chima* et un *chogori* de la Corée. Je demande :

— Qu'est-ce que tu fais, maman ? Ce *chima* est encore en bon état.

Ma mère répond :

— Je ne le porte plus. J'aimerais t'en faire un pantalon d'hiver.

Je mets la monnaie dans ma poche et m'assieds sur une boîte de bois posée près de l'entrée. Il fait frais comme si la chaleur étouffante de l'extérieur n'existait pas. Le *nagaya* est toujours à l'ombre d'un haut bâtiment situé derrière. Il s'agit d'une usine de médicaments chimiques. Nous habitons dans la pièce au bout du *nagaya*. À part nous, tout le monde est Japonais. Ce sont des gens de la province qui restent ici temporairement. Ma mère me dit qu'il est difficile de les comprendre à cause de leur fort accent. Nous ne rendons pas visite aux voisins. En fait, ils nous évitent.

Aujourd'hui, il n'y a personne dans la ruelle, même pas les chats errants qui viennent d'habitude chercher de la nourriture autour du *nagaya*.

Je regarde distraitement le visage blanc de ma mère. Elle n'a pas de rides sur le front. Les yeux en amandes, les pommettes un peu saillantes. Les longs cheveux noirs attachés sur la nuque, la raie au milieu. Le dos tout droit. Mon oncle m'a dit l'autre jour : « Ta mère parle doucement et n'élève guère la voix. Elle est gracieuse encore dans ses mouvements. Quel dommage ! Nous sommes tombés dans la misère à cause de la colonisation japonaise. Mais n'oublie pas que nous sommes de bonne souche. »

En Corée, ma mère était professeur d'enseignement ménager dans un collège pour filles. Mon oncle était écrivain et journaliste.

Je regarde à nouveau ma mère, qui défait toujours les coutures. Ses mains bougent habilement. Bien que la peau de son visage soit douce, celle de ses mains est rugueuse et devient gercée en hiver. Ma mère travaille comme balayeuse. Elle fait le ménage dans une maison de riches. Lorsque j'étais encore trop petite pour rester seule à la maison, je la suivais au travail. Dans la maison du patron, il y avait des enfants. Je ne jouais jamais avec eux. Les parents leur interdisaient de m'adresser la parole.

Je demande à ma mère avec hésitation :

— Pourquoi toi et mon oncle êtes-vous venus au Japon ?

Ma mère me jette un coup d'œil, mais ne dit rien. Ses mains bougent sans cesse. J'insiste :

— Pourquoi ?

Elle garde le silence. Je répète encore :

— Pourquoi ?

Elle arrête de bouger les mains et lève la tête. Son regard flotte un moment. Puis elle dit sérieusement :

— Tu as douze ans, maintenant. Tu es capable de garder pour toi seule ce que je vais te dire, n'est-ce pas ?

Je dis :

— Oui.

Elle sourit :

— C'est rare que tu sois insistante comme aujourd'hui.

Elle fait une pause et chuchote à mon oreille :

— Mon frère et moi avons fui notre patrie.

« Quoi ? Ils ont fui ! Qu'avaient-ils fait ? » Choquée, je regarde ma mère, qui dit :

— N'aie pas peur. Nous ne sommes pas des criminels.

Ma mère m'explique. Je l'écoute attentivement.

En Corée, elle et mon oncle avaient pris part au mouvement d'indépendance. Les Japonais avaient voulu coloniser la Corée le plus tôt possible. Et en 1909, deux ans avant ma naissance, un politicien japonais très important avait été assassiné à Harbin par un patriote coréen. Autour de ma mère et de mon oncle, la répression contre les activistes est devenue alors de plus en plus sévère. L'année suivante, les Coréens ont perdu leur pays. Mon oncle a été interdit de publication. Ma mère a dû cesser de travailler à l'école. Mes grands-parents avaient été souvent convoqués par les Japonais à leur propos. Ma mère et mon oncle ont dû quitter la ville, mais ils ne savaient pas où aller. Par hasard, ils ont rencontré un de leurs camarades qui tentait d'embarquer sur un bateau clandestin en route vers le Japon. Ils ont décidé de fuir le pays avec lui et c'est ainsi qu'ils sont venus au Japon.

— Ça fait treize ans déjà… dit ma mère.

Elle se tait un moment et ajoute à voix basse :

— Nous croyons toujours à notre indépendance. N'oublie pas cela, même si tu es née ici. De toute façon, avec ton sang coréen tu ne pourras jamais devenir Japonaise.

Je l'interromps :

— On dit que le Japon traite la Corée comme un membre de sa famille et que le mariage de la princesse Masako et du prince Un en est un bon exemple.

Ma mère secoue la tête, l'air dur :

— Non, non. C'est un mariage politique imposé par le Japon. En Corée, la famille impériale n'a jamais accepté un mariage international. De plus, ce prince était le dernier héritier de la dynastie Choson. Quelle impudence ! Quelle humiliation ! Tu vois ce que le Japon trame.

« Un mariage politique ? Un mariage international ? Qu'est-ce que c'est ? » Je ne comprends pas. Je reste silencieuse. Ma mère m'ignore. Elle poursuit :

— Avant ce mariage, le prince avait été fiancé à une Coréenne de grande famille. Imagine-toi les sentiments d'un couple qui a été séparé d'une telle façon, surtout les sentiments de cette femme qui avait attendu son mariage plus de dix ans !

Ma mère pousse un soupir. Je regarde le ciel gris, longuement. Je réfléchis. Elle demande :

— À quoi penses-tu ?

Je réponds sans bouger la tête :

— Aux sentiments de la princesse japonaise.

Ma mère ne dit rien. Elle lève les yeux au ciel. Après un long silence, elle dit :

— Nous allons retourner un jour dans notre pays.

Étonnée, je répète :

— Dans notre pays ?

— Oui.

— Mon oncle aussi ?

— Oui, lui aussi.

Je regarde autour du *nagaya* où je vis depuis ma naissance : le long toit qui couvre plusieurs pièces, les murs en ruine, les fenêtres vitrées qui ne s'ouvrent pas facilement, la ruelle où la lumière du soleil n'entre jamais.

— Je ne peux imaginer ma vie en Corée. C'est un endroit que je n'ai jamais visité.

Ma mère fait un signe de tête :

— C'est normal. Mais je ne veux pas que tu vives ici comme moi.

Elle recommence à défaire les coutures. Les yeux fixés sur ses mains, je médite une autre question qui me préoccupe tout le temps. Pourtant, je n'ose la poser à ma mère. « Mon père, comment était-il ? » Je n'ai jamais vu mon père. Selon ma mère, il a disparu avant ma naissance. « Était-il comme mon oncle ? »

Quand j'avais trois ou quatre ans, ma mère me laissait de temps en temps aux soins de son frère, qui habitait chez nous à cette époque-là.

Il écrivait sur la petite table en fumant une cigarette. En tapant sa joue, il faisait sortir des ronds. Cela me plaisait beaucoup. J'essayais de les attraper dans mes mains. Allongé sur le plancher, il me racontait des histoires inventées. Quand il faisait beau, il m'emmenait à la colline près de chez nous. Je me mettais à califourchon sur lui. Nous chantions *Arirang*. La chanson de notre patrie.

« Mon père, comment était-il ? » Je me le répète dans ma tête en regardant ma mère qui bouge les mains sans cesse.

— Maman…

Elle répond sans lever la tête :

— Quoi ?

Je me tais. Elle tourne la tête et dit :

— Qu'est-ce qu'il y a ?

Je baisse les yeux un moment :

— J'ai faim !

Le visage de ma mère s'adoucit. Elle sourit :

— On mangera bientôt. Tu peux laver et couper des légumes, n'est-ce pas ?

Elle époussette le tissu pour faire tomber les bouts de fil. En entrant dans la cuisine, j'entends ma mère dire derrière moi :

— Rien n'est plus précieux que la liberté. N'oublie jamais ça, Yonhi.

Le lendemain matin, je suis réveillée par le bruit de la pluie et du vent qui tambourinent contre les *amado*. Je tends l'oreille. Les portes tremblent de plus en plus fort. La lumière de l'extérieur pénètre par les interstices. Je regarde la pendule sur le mur. Il est huit heures moins dix. Ma mère travaille déjà à l'aiguille sous l'ampoule nue. Je me lève. Des bols et des baguettes sont disposés sur la table, avec une assiette de *kimchi*. Je dis à ma mère, en me frottant les yeux :

— Quelle tempête ! On dirait l'arrivée d'un typhon.

Elle s'assied devant la table et remplit les bols de riz et de soupe aux légumes. Elle dit :

— Je suis contente de ne pas aller chez mon patron par un temps pareil.

Je demande :

— Pourquoi lui et sa famille sont-ils soudainement partis en vacances ?

Ma mère répond avec un drôle d'air :

— J'ai entendu mon patron dire à sa femme avant leur départ : « C'est effrayant ! Je ne trouve aucune hirondelle ici. Ce n'est pas encore la saison de leur migration. Où sont-elles ? » Sa femme lui a dit : « Quelqu'un m'a appris qu'on en trouve beaucoup cette année à la campagne. » Mon patron lui a ordonné aussitôt de se préparer à partir.

Un moment, le visage de ma mère s'assombrit. Je regrette d'avoir posé la question. La chaleur anormale, les acores en pleine floraison, la disparition des rats... Va-t-il bientôt arriver ici quelque chose de mauvais ? Non, j'ai vu un couple d'hirondelles hier matin. Nous mangeons en silence.

Après avoir lavé la vaisselle, je m'installe à nouveau devant la table pour travailler. Je fais une composition en coréen et une révision des nouveaux caractères du *hanmun* que ma mère m'a montrés au début de la semaine.

Vers dix heures, le vent se calme et la pluie cesse. J'ouvre les *amado*. Aussitôt, la chaleur humide entre à l'intérieur. Je dis à ma mère :

— Le ciel est tout clair ! Où est parti l'orage ?

Elle dit :

— Il fera très chaud cet après-midi. Aujourd'hui nous sommes le premier septembre. Cette année, l'automne arrivera plus tard que d'habitude.

Elle sort de la maison avec sa couture et met la chaise de bambou devant l'entrée. Elle m'appelle :

— Viens ici. L'air est meilleur.

Je réponds :

— Non. J'aimerais finir d'abord mon travail. Après, j'irai sur la colline cueillir des campanules. Il y en a beaucoup.

Ma mère sourit. Ce sont ses fleurs préférées.

Il est presque midi quand je rentre à la maison. Je mets le bouquet de campanules dans une bouteille. Ma mère cuisine en fredonnant. Sur la table, je vois les derniers épis de maïs cuits dans le panier de bambou. J'apporte des bols et des baguettes de la cuisine. Au moment où je les pose sur la table, un bruit sinistre se fait entendre. « Qu'est-ce que c'est ? » J'ai un coup au cœur. Il y a un grondement et, l'instant d'après, la maison se met à trembler. Je chancelle. Le panier se renverse et les épis de maïs s'éparpillent sur le plancher. L'ampoule nue qui pend du plafond se balance de droite à gauche. La pendule se décroche. Je veux appeler ma mère, mais je ne peux que m'agripper au pilier de la maison. Ma mère crie de la cuisine :

— Yonhi, vite !

Tirée par le bras de ma mère, je saute dehors. La terre tremble toujours. Les voisins courent vers la rue principale. Les enfants pleurent. Je flageole, je tombe, je rampe. Ma mère me tient fortement par la main. Derrière, on entend un bruit d'explosion. C'est l'usine de médicaments. Le *nagaya* a déjà été soufflé. « Notre maison a disparu ! » L'usine se met à brûler. À cause du choc, je suis incapable de courir. Des flammèches tombent du ciel. Ma mère crie :

— Dépêche-toi ! Sinon, nous serons prises dans la fumée.

Son visage est tout blême.

Ma mère et moi suivons la foule qui se précipite en direction de la colline d'où je viens de revenir. On apprend aussitôt que le chemin est bloqué par un gros bâtiment écrasé. Il faut faire un détour.

On s'enfuit à toutes jambes. Étouffée, je supplie : « Maman, arrête un instant. Je ne peux plus courir. » Mais ma mère ne s'arrête pas et me tire. Je me rends compte qu'un sac de tissu blanc pend à la ceinture de ma mère. Je demande :

— Qu'est-ce qu'il y a dans ton sac, maman ?

Elle chuchote :

— De l'argent et mon journal.

— Comment as-tu fait ? On n'a pas eu le temps de prendre quoi que ce soit.

— Je le cachais au bout de l'étagère dans la cuisine. Je me tenais prête à toute éventualité.

Après plus d'une heure de marche, nous arrivons sur le sommet de la colline, déjà pleine de monde. Les gens hurlent : « Regardez ! Là-bas ! La ville est prise dans une mer de feu. Tokyo va disparaître ! »

Épuisée, je m'assieds sur une pierre. La terre tremble de nouveau. Je m'agrippe à ma mère, qui me rassure : « Ça ne va durer que quelques secondes. Ne t'inquiète pas. »

J'ai faim et soif. Je n'ai rien mangé depuis le matin. L'argent que ma mère a sur elle ne sert à rien pour le moment. Je me dis : « Maman aurait dû prendre de l'eau ou des épis de maïs au lieu du sac. »

Il fait toujours très chaud. Les enfants crient : « De l'eau ! » Ma mère s'assied en s'appuyant contre la pierre et me fait signe de poser ma tête sur ses genoux. Je lui obéis en silence et je ferme les yeux. Il m'est impossible de m'assoupir, car, à quelques pas de là, un garçon de deux ou trois ans pleure constamment dans les bras d'une jeune femme. Elle essaie de le calmer en le berçant, mais ses cris augmentent.

Je sens l'odeur des herbes. J'appelle cet endroit la « colline de gentianes ». En automne, les fleurs d'un violet tendre s'épanouissent entre les roches. J'aime beaucoup leur forme de clochette comme celle des campanules. Je venais ici avec mon oncle quand j'étais petite. Maintenant, je m'y promène toute seule. D'habitude, je ne vois personne au sommet. Allongée dans les herbes, je regarde le ciel et m'assoupis.

Je suis obligée de me redresser, car ma mère va aider la jeune femme. Elle prend l'enfant dans ses bras, lui caresse le visage et la tête doucement tout en marchant autour de la femme. L'enfant se calme et se met à dormir. Ma mère alors le replace dans les bras de la femme, qui dit en s'inclinant plusieurs fois :

— Merci, merci beaucoup, madame !

Dans le ciel montent d'énormes cumulonimbus. C'est une scène sinistre. Je me dis : « Le patron de ma mère avait raison de quitter la ville. » Je chuchote à ma mère :

— J'espère que mon oncle est sain et sauf.

Ma mère glisse à mon oreille :

— Ne t'inquiète pas. Il travaille dans un endroit sûr. On se reverra bientôt.

La nuit tombe. Le feu dans la ville persiste. Néanmoins, certains commencent à descendre de la colline. Je demande :

— Maman, où est-ce qu'on peut dormir ce soir ?

Ma mère répond :

— Il vaut mieux rester ici. Il est encore dangereux de partir n'importe où.

— Mais mon oncle s'inquiétera, dis-je.

— Je sais. Demain, nous pourrons nous rendre chez lui ou bien à la digue d'Arakawa, dit-elle.

Je me rends compte que la femme avec l'enfant nous regarde. Aussitôt qu'elle croise mon regard, elle baisse les yeux. Elle doit être curieuse de savoir ce que nous disons dans notre langue.

Le lendemain matin, des soldats arrivent sur la colline en portant des *onigiri* de *genmaï* dans des boîtes. Chacun en reçoit un. Je le mange avidement et j'ai encore faim. Je regarde ma mère, qui s'arrête de mâcher et me tend son dernier morceau. Je le prends et lui rends la moitié. Ma mère me fait un faible sourire.

Soudain, on entend des cris. Puis plusieurs hommes paraissent devant la foule. Ils ont un sabre, une lance de bambou, une gaffe. Je ne comprends pas ce qui se passe.

L'un des hommes dit :

— Arrêtez tous les Coréens ! Ils sont dangereux. Ils tentent de jeter du poison dans les puits.

La foule s'agite. Un autre homme lance :

— Les Coréens mettent le feu ! Ils volent à main armée ! Ils violent les femmes !

« Quoi ? » Je regarde ma mère. La bouche cousue, elle me fait signe de ne pas parler. Son visage est tout crispé.

Le troisième homme dit :

— Capturez tous les Coréens, sans exception !

Les autres hommes poussent des cris en agitant les armes. La foule panique. Je ne bouge pas. Tout mon corps frémit de peur. La femme au petit garçon nous regarde, ma mère et moi. Les hommes armés circulent entre les gens. L'un d'eux s'arrête devant ma mère, l'air soupçonneux. Au moment où il ouvre la bouche, la femme crie :

— Madame Kanazawa ! Je ne savais pas que vous étiez ici.

Elle s'approche, le petit garçon dans ses bras. L'homme lui demande :

— La connaissez-vous ?

— Bien sûr ! Nous sommes voisines depuis des années. Malheureusement, notre appartement a été complètement détruit par le feu. Quelle horreur ! J'ai tout perdu, les meubles, les vêtements, même l'argent. Je ne sais pas comment vivre désormais.

Ignorant l'homme, elle poursuit. Soudain, le petit garçon dans ses bras se met à pleurer. L'homme s'en va avec les autres. Ma mère et moi apercevons la marque rouge d'un pincement sur un bras de l'enfant. La femme le berce en disant : « Désolée, mon petit. »

Ma mère s'incline profondément devant la femme. Et puis elle prend des billets dans le sac et les lui tend. Mais la femme refuse en agitant la main. Alors, ma mère donne l'argent au petit garçon. Il cesse de pleurer. Ma mère sourit et lui caresse la tête. La femme dit à voix basse :

— Madame, faites attention ! Veillez sur votre sécurité.

Je regarde le visage de ma mère. Les larmes coulent sur ses joues. Elle se lève et me dit :

— Il faut partir maintenant.

Ma mère et moi sommes dans la rue. Nous marchons en évitant les regards, sans un mot. Je n'ose lui demander où nous allons. Son visage reste contracté. Elle dit :

— Qui pourrait faire une telle chose dans cet état d'urgence ? On est occupés à fuir le feu. Ce ne sont pas les Coréens qui complotent contre les Japonais. C'est le contraire !

Je suis fatiguée. Je la supplie :

— Maman, faisons une pause quelque part.

Nous trouvons une maison abandonnée dont un mur est à moitié écroulé. Dans l'arrière-cour, il y a un morceau de tôle appuyé contre le mur. Nous nous y cachons. Il fait trop chaud là-dessous et je veux sortir. À l'instant où je me penche sous la tôle, j'entends des pas autour de la maison. Ma mère me tire aussitôt en arrière. Je me cramponne à son cou.

La voix d'un homme dit :

— Là-bas. Attrapez-les tous !

Je suis glacée de terreur. Ma mère me tient les épaules fortement. Ses mains tremblent.

Le soir, nous arrivons dans le quartier de mon oncle. Sa maison, qui n'est qu'une baraque, est tout aplatie. Je demande à ma mère :

— Où est-il ?

Elle répond :

— Je suis sûre qu'il nous cherche aussi maintenant.

Nous marchons dans les ruines du quartier. En regardant le ciel sombre, je demande :

— Où peut-on rester ce soir, maman ? J'ai peur.

Elle réfléchit et dit :

— Yonhi, je vais te laisser dans une église que je connais bien, si elle existe encore.

— Dans une église ? Pourquoi ? Je veux aller n'importe où avec toi.

Elle dit sur un ton grave :

— Écoute bien. Je veux que tu sois en sécurité. C'est trop dangereux de m'accompagner.

— Où vas-tu ?

— J'essaie de contacter les amis de mon frère avant d'aller à la digue d'Arakawa.

La nuit est tombée. Ma mère me mène à cette église que rien ne distingue d'une maison ordinaire, sauf une croix au-dessus de la porte. Le terrain est entouré de clôtures en bois. Les cosmos sont en fleur. Ma mère s'exclame :

— Quel bonheur ! Elle a été sauvée par la grâce de Dieu. Elle te protégera, j'en suis sûre !

Elle sort un cahier et un crayon de son sac. Je dis :

— C'est ton journal, n'est-ce pas ?

— Oui.

Elle écrit quelques phrases sur une page blanche. Ensuite, elle l'arrache et la plie en quatre.

— Donne cette lettre au prêtre d'abord, dit-elle.

Je demande :

— Qu'est-ce que tu as écrit ?

— J'ai écrit que je reviendrai te chercher au cours de la journée, demain.

Elle retire le sac de sa ceinture et remet son journal dedans.

— Le prêtre gardera mon sac jusqu'à ce que je revienne, dit-elle.

Je demande :

— L'argent aussi ?

— Oui, l'argent aussi.

Elle se tait un moment et me regarde en face. Le visage tout pâle, elle dit :

— Yonhi, ici tu dois faire semblant d'être Japonaise. Le mieux, c'est de garder le silence. Tu comprends ?

Je baisse la tête. Elle ajoute :

— J'ai écrit dans la lettre que ton nom est Mariko Kanazawa. Ne prononce ton véritable nom, Yonhi Kim, devant personne.

Stupéfaite, je lève les yeux. « Mariko Kanazawa ? » Au bout d'un moment, je me souviens qu'au sommet de la colline, la femme avec un petit garçon a appelé ma mère « madame Kanazawa ».

Ma mère dit :

— N'oublie jamais la femme qui nous a sauvées.

— Oui. Mais pourquoi as-tu choisi ce nom, Mariko ?

Elle sourit :

— Je veux que tu sois protégée par Marie.

— J'ai peur, maman.

— Sois patiente. Je reviendrai ici demain.

— Promis ? Même sans mon oncle ?

— Oui, c'est promis. Mais toi, sois courageuse !

Elle me serre très fort et répète : « Ma chérie… » Puis elle me fixe et dit :

— Vas-y, maintenant.

Je me dirige vers l'entrée de l'église. Je frappe à la porte. Un homme portant une barbe noire apparaît. « C'est un étranger ! » De surprise, je recule et me retourne vers la clôture. Ma mère n'est plus là. Les cosmos s'agitent légèrement dans la faible lumière.

— Jishin ! Jishin !

Le lendemain matin, je suis réveillée par le cri d'un garçon. Un moment, je crois que c'est l'enfant dans les bras de la jeune femme, sur la colline. Mais ce n'est pas lui. « Où suis-je ? » Autour de moi dorment plusieurs enfants, plus jeunes que moi. « Qui sont-ils ? » J'en compte huit. Je me rappelle que, la veille, j'ai mangé la soupe que le prêtre étranger m'a servie et que je me suis endormie aussitôt couchée. Mais je ne me suis pas rendu compte qu'il y avait d'autres enfants dans la chambre. Assise sur le futon, je les regarde distraitement.

Une fille à côté de moi se réveille. Elle a l'air d'avoir neuf ou dix ans et semble la plus âgée de tous. Elle me demande en se frottant les yeux :

— Qui es-tu ?

Je ne réponds pas. La fille poursuit :

— Comment t'appelles-tu ?

Je ne dis rien. Elle me regarde en face :

— Tu dois être orpheline comme nous, n'est-ce pas ?

« Orpheline ? Ici, c'est un orphelinat ? »

Elle prend dans ses bras le garçon qui répète toujours : « *Jishin ! Jishin !* »

La fille lui dit :

— Tout va bien maintenant. N'aie pas peur. Tu as déjà trois ans !

Quand le garçon se calme, elle commence à ranger la literie et je la suis. L'homme à la barbe noire entre dans la chambre. C'est le prêtre étranger de la veille qui m'a donné de la soupe.

Il me dit gentiment :

— Mariko, as-tu bien dormi ?

« Mariko ? » Je baisse les yeux. La fille demande au prêtre :

— Elle s'appelle Mariko ? Est-elle muette ?

Il lui répond :

— Non. Mariko est fatiguée, c'est tout. Elle attend sa mère qui est partie à la recherche de son oncle.

La fille me dit à voix haute :

— Alors, tu n'es pas orpheline !

Tout le monde me regarde.

Après la toilette, les enfants retournent dans la chambre. Leurs futons sont pliés en deux et entassés dans un coin. Le prêtre pose une table basse et longue au milieu. Les petits mettent le couvert. Les grands remplissent des bols de riz et de soupe. Quand tout le monde s'assied à table, le prêtre prononce quelques mots de remerciement pour la nourriture. Ensuite, ils chantent une chanson que je ne connais pas. Pendant le repas, on entend le bruit de la porte coulissante. « Maman ! » Je regarde le prêtre. Il me dit :

— Ne bouge pas, Mariko. Je vais voir.

Quelques minutes plus tard, il revient en secouant la tête. La fille qui m'a dit « Alors, tu n'es pas orpheline ! » lui demande :

— Qui est-ce ?

Le prêtre répond :

— Madame Tanaka.

Elle demande encore :

— Qu'est-ce qui lui est arrivé, à *Obâchan* ? Elle n'est pas venue ce matin comme d'habitude.

— Sa maison a été détruite. Elle va habiter ici avec nous jusqu'à ce qu'elle trouve un endroit où demeurer.

Les enfants s'exclament :

— *Obâchan* va habiter ici ! Nous l'aimons beaucoup !

Le prêtre sourit. Je mange en silence.

Après la vaisselle, les enfants sortent dehors. Je reste dans la cuisine, assise sur une chaise. Chaque fois que j'entends la porte coulissante de l'entrée s'ouvrir, je cours pour écouter la voix. Mais ce n'est jamais ma mère ni mon oncle.

La nuit tombe. Par la fenêtre, je regarde la clôture devant l'église. Je répète : « Dieu, sauvez-les, s'il vous plaît. »

Je les attends ainsi une semaine, deux semaines, trois semaines... Je mange très peu, ne dis pas un mot. La fille la plus âgée dit au prêtre : « Mariko est vraiment muette. » Le plus petit garçon demande : « Muette ? Qu'est-ce que ça veut dire ? » C'est le garçon qui criait : « *Jishin !* *Jishin !* » La fille répond : « Elle ne peut pas parler. » Le garçon dit : « Je ne le crois pas. Elle est seulement triste. Quand je suis triste, je ne veux pas parler non plus. » Le prêtre lui dit : « Tu as raison, mon petit. »

Un mois et demi a passé depuis le tremblement de terre. J'attends toujours le retour de ma mère et de mon oncle. Pourtant, il n'y a aucune nouvelle d'eux. Je fais constamment le même cauchemar et me réveille en pleine nuit.

Les enfants de l'église recommencent à fréquenter l'école. Je reste ici avec le garçon de trois ans. L'enseignement est obligatoire jusqu'à douze ans. J'aurai bientôt treize ans. On n'a pas besoin de m'y inscrire. Pourtant, personne ne sait que je ne suis jamais allée à l'école.

Tous les matins, madame Tanaka, que les enfants appellent *Obâchan*, vient travailler à l'église. Elle s'est récemment installée dans une maison du même quartier. Je ne fais que flâner dans le jardin. J'ai peur encore de sortir et d'être vue, même si on n'entend plus hurler dans la rue : « Attrapez tous les Coréens ! »

De temps en temps, madame Tanaka me demande de l'aider à faire la vaisselle ou d'autres petites tâches. Lorsque je finis mon travail, elle me dit : « Excellent, Mariko ! À ton âge, comment se fait-il que tu fasses si bien le ménage ? » Je ne la vois jamais fâchée. Elle garde toujours le sourire sur ses lèvres épaisses. Elle a les yeux arrondis.

Le petit garçon joue à mes côtés. L'après-midi, il fait la sieste. Un jour, je décide de retourner sur la colline. Il me suit en emportant un avion de papier que le prêtre lui a donné. La promenade est un peu longue pour lui. Pourtant, il continue de marcher sans se plaindre. Arrivé sur le sommet, le garçon s'exclame en regardant la ville en bas : « C'est haut ! » Aussitôt, il lance l'avion de papier et court après. Il me demande de revenir ici tous les après-midi.

La ville n'est pas encore reconstruite. Les décombres de l'incendie subsistent. L'usine de médicaments et notre *nagaya* ont disparu. La vue de la ville a changé complètement. Ce qui n'a pas changé, c'est la colline. Je trouve la pierre sur laquelle j'étais assise. D'ici, je regardais avec ma mère le feu dans la ville. Près de nous, un garçon pleurait dans les bras d'une jeune femme. Je n'aime pas me rappeler d'autres choses.

Je marche en cherchant des campanules. Il n'y en a plus. Je m'allonge sur l'herbe. Je ferme les yeux. Je reste ainsi longtemps et m'assoupis.

Un jour, au sommet de la colline, le petit garçon me dit en cachant quelque chose derrière lui :

— *Onêchan*. Je te donne un cadeau.

Je demeure allongée sur le dos. Il sourit :

— Ferme les yeux, s'il te plaît.

Je ferme les yeux. Il dit :

— Regarde !

Il me tend une gentiane. Attirée par le violet tendre des petites fleurs en forme de clochette, je me redresse. Il s'assied à mon côté et dit :

— Elles sont belles, n'est-ce pas ?

Les larmes se mettent à couler sur mes joues. Il demande :

— Qu'est-ce qu'il y a ?

Je sanglote, incapable de m'arrêter. Il saute à mon cou :

— Ne pleure pas !

Il serre ma tête dans ses bras, longtemps. Quand je me calme, je me rends compte que c'est la première fois que je pleure depuis la disparition de ma mère et de mon oncle. Le garçon me caresse la tête :

— Mariko, Mariko. Quel beau nom ! C'est comme celui de Marie, qui nous protège. Père dit que son cœur est aussi grand que le ciel et aussi fort que le chêne.

Le vent sec et froid d'hiver se met à souffler. La première neige tombe au début du mois de décembre. Le temps nuageux dure quelques jours. Je continue à monter sur la colline avec le petit garçon. Il apporte un avion de papier qu'il a fait lui-même. Assise par terre, je le surveille. À l'orphelinat, je ne parle toujours à personne.

Un après-midi, par la fenêtre, je regarde le ciel couvert de nuages bas. À côté de moi, le petit garçon dort. Dans le jardin, le prêtre pompe de l'eau au puits et lave des *daïkon* dans un seau en bois. Il porte toujours son vieux costume noir. L'autre jour, la fille qui a demandé au prêtre si j'étais muette m'a raconté que le prêtre est arrivé au Japon en provenance d'un pays lointain. Il a perdu ses parents à cause d'une guerre en Europe. Il n'avait que quatre ans. « Alors, a-t-elle dit, le prêtre est aussi orphelin depuis des années. »

Madame Tanaka entre dans la chambre en portant des tissus et une boîte à couture. Elle s'assied près de la fenêtre. Elle déploie un tissu noir et place dessus le vieux pantalon que j'ai reçu quelques semaines après mon arrivée. Elle coupe le tissu le long de la forme du pantalon. Elle travaille habilement, comme ma mère. Sur le tissu noir, je vois l'image de ma mère et son *chima*, avec lequel elle me faisait un pantalon d'hiver. Madame Tanaka me sourit :

— C'est pour toi, Mariko. J'ai décousu le costume neuf du prêtre qu'il vient de recevoir. Il m'a demandé d'en faire ton vêtement.

Je voudrais bien dire merci à madame Tanaka, mais je ne suis pas capable de prononcer le mot. Je baisse les yeux. Elle regarde le petit garçon et dit :

— Il dort bien.

Et elle me chuchote :

— Les enfants d'ici ne connaissent pas leurs parents. Ce sont des enfants abandonnés. Ce petit garçon a été laissé devant la porte de l'église, enveloppé dans un tissu. Il était tellement beau. Aucun mot ne l'accompagnait. On croyait qu'il avait six ou sept mois. Malgré son malheur, il est devenu un bon garçon grâce à la tendresse du prêtre.

Le petit garçon se retourne sur le futon. Madame Tanaka arrête de parler et se lève pour remettre la couverture. Elle s'assied à nouveau et continue à travailler. En regardant le prêtre qui lave les *daïkon*, elle dit :

— Chaque année, l'Église de son pays lui envoie des rideaux, des draps, un costume de prêtre et quelques pièces de tissu. Le prêtre utilise tout pour les enfants. D'autres femmes chrétiennes et moi l'aidons à en faire des chemises, des pantalons, des jupes… C'est pour cela qu'il porte tous les jours ce vieux vêtement noir.

La neige tombe en légers flocons. Le prêtre finit de laver les *daïkon* et jette l'eau du seau au coin du jardin. Ensuite, il apporte un gros morceau de bois devant la clôture et le fend avec une hache. Son vêtement noir et long s'agite chaque fois qu'il brandit la hache.

Madame Tanaka ajoute en souriant :

— Tu sais, Mariko, nous les femmes, nous l'avons surnommé « monsieur Tsubame ».

Les fleurs des pêchers dans le jardin commencent à s'épanouir. Les moineaux chantent bruyamment sur les arbres. Il y a des bourgeons de saule sur le bord de la rivière. Le vent n'est plus celui de l'hiver. C'est le début du printemps.

Je me promène tous les jours. Le petit garçon me suit partout après sa sieste. Je marche aussi longtemps que possible. À la fin de la journée, tout épuisée, je m'endors aussitôt couchée. Cela m'évite de penser à ma mère et à mon oncle. Pourtant, je me réveille souvent, mon oreiller mouillé de larmes.

Un jour, madame Tanaka installe un *hibachi* devant la porte de l'église. Elle met dedans du charbon de bois et l'allume. Le gril vient d'être placé sur le *hibachi*. Les enfants entourent madame Tanaka avec curiosité. Le petit garçon lui demande :

— Qu'est-ce que tu fais, *Obâchan* ?

Elle dit :

— On mange quelque chose de bon !

Elle apporte un filet rempli de gros coquillages. Quelqu'un d'entre nous crie :

— *Hamaguri !*

Madame Tanaka dit :

— Exact ! Tu connais bien le nom de ces coquillages. C'est la saison. On en mange chaque année lors de la fête des filles.

Une fille lui demande :

— Pourquoi ?

— Chez les *hamaguri*, il n'y a que deux parties qui vont exactement ensemble, même si en apparence elles semblent pareilles. On souhaite que les filles puissent rencontrer l'homme idéal pour le reste de leur vie.

Tout le monde ricane. Madame Tanaka dit d'un ton sérieux :

— Après avoir mangé, jouez avec les coquilles et retrouvez les paires originales. Ce n'est pas facile, vous allez vite vous en rendre compte.

Le charbon de bois brûle bien. Les coquillages ouvrent leur bouche l'un après l'autre. Le jus tombe sur le feu. L'odeur appétissante se répand. Le prêtre sort de l'église.

— Ça sent bon ! Qu'est-ce que c'est ?

Le petit garçon répond :

— C'est l'odeur du printemps !

Tout le monde rit.

Le soleil se réchauffe rapidement. Les champs autour de l'église sont couverts d'astragales roses.

Allongée sur l'herbe, je regarde le ciel. Un couple d'hirondelles passe au-dessous des nuages blancs. Elles sont revenues de leur pays chaud. L'une suit l'autre à la même vitesse. Elles volent haut, ensuite très bas au ras du sol. Elles remontent et se perchent un moment sur le toit d'une maison. Je me dis : « Si on pouvait renaître, j'aimerais renaître en oiseau. »

Un après-midi, par la fenêtre je vois le prêtre se tenir devant l'église. Les yeux levés vers le toit, il reste immobile, longtemps. Madame Tanaka sort et lui demande :

— Qu'est-ce que vous regardez ?

— Le vieux nid des hirondelles qui sont venues ici l'année dernière. J'espère qu'elles reviendront bientôt.

Elle s'exclame :

— Leur saison est-elle déjà arrivée ? Le temps passe vite !

Il dit :

— Vraiment !

Madame Tanaka aussi regarde vers le toit. Le prêtre dit :

— Les hirondelles me manquent pendant l'hiver.

Elle demande :

— Dans votre pays, en trouve-t-on beaucoup ?

— Non, mais je suis né dans une île du Pacifique Sud où il y en a en abondance.

Étonnée, madame Tanaka répète :

— Pacifique Sud ? Comment ça ?

— Mon père était négociant en import-export. Mes parents voyageaient alors dans cette région-là. À leur dernier voyage, ma mère était enceinte et a senti, plus tôt que prévu, les premières douleurs de l'accouchement. Mon père a fait arrêter le bateau. Il a débarqué seul dans une île où habitaient les autochtones d'une tribu. Il a rencontré le chef et lui a expliqué l'urgence de la situation. Le chef a invité mes parents dans sa maison, où il y avait plusieurs enfants. Le lendemain de ma naissance, mon père a dû nous quitter. Il est revenu nous chercher trois mois plus tard.

Madame Tanaka lui dit :

— Alors, vous ne vous souvenez pas de l'île et des hirondelles.

— Non. Mais ma mère me répétait que, là-bas, c'était tellement beau. Les fleurs s'épanouissaient partout. L'île était riche en fruits et en poissons. Les gens nous traitaient avec tant de soin. Ma mère croyait que c'était le paradis. Elle se promenait avec moi au bord de la mer, dans les bois, sur les rochers. Elle voyait des milliers d'hirondelles tous les jours.

Madame Tanaka dit :

— C'est pour cela que vous aimez observer les hirondelles.

— Oui, dit-il. Chaque année, à la saison où ces oiseaux partent pour le sud, j'éprouve de la nostalgie, comme si leur pays était aussi le mien.

— Mariko !

Un matin, le prêtre m'appelle par la fenêtre de la cuisine alors que je fais la vaisselle. Il dit, l'air excité :

— Viens ici !

Curieuse, je sors en m'essuyant les mains et m'approche de lui. Il désigne le toit du doigt. Je vois un couple d'hirondelles et le vieux nid sur la planchette installée contre le mur. Le prêtre me chuchote :

— C'est le même couple que l'année dernière. J'en suis certain ! Elles réparent leur maison.

La moitié du nid est encore humide de boue fraîche. Le regard très sérieux, le prêtre observe les oiseaux. Soudain, le couple s'envole.

— *Tsubame*…, dis-je.

Le prêtre tourne la tête, les yeux agrandis de surprise. Il bégaie :

— Tu… tu as dit quoi ?

Je répète :

— J'ai dit *Tsu-ba-me*.

Il s'exclame :

— Tu parles enfin ! C'est la première fois que je t'entends parler !

Il cache son visage dans ses mains, qui tremblent. Des larmes sur les joues. Il lève les yeux vers le ciel. Il dit sans tourner la tête :

— Tu sais, Mariko, les hirondelles voyagent en couple et élèvent les petits ensemble. Elles couvent les œufs tour à tour, cherchent des insectes pour nourrir les oisillons. Elles nettoient le nid en jetant les fientes. C'est merveilleux, n'est-ce pas ?

Le couple arrive avec des herbes séchées et les met en place. Nous regardons leur travail en silence. Après quelques moments, le prêtre me regarde en face et dit en me tenant les mains :

— Mariko, sois courageuse. Dieu te protégera.

Les hirondelles s'envolent de nouveau. Nous les suivons des yeux jusqu'à ce qu'elles deviennent des taches noires dans le ciel bleu.

II

J'ouvre la porte d'entrée.

Le soleil est aveuglant. Par réflexe, je ferme les yeux. Je respire l'air frais du matin. Je sens sur ma peau les dernières chaleurs de l'été. Un moment, un faible vent effleure ma joue. Au coin du jardin, les cosmos s'agitent légèrement. Les oiseaux chantent dans le kaki. Des fruits verts apparaissent entre les feuilles.

Je lève les yeux vers le ciel clair. Quel beau temps ! Quelle tranquillité ! La paix même. La journée commence comme d'habitude. Je marche autour du jardin. En arrachant des mauvaises herbes, j'attends ma petite-fille, Tsubaki, pour l'accompagner à l'école.

J'habite chez mon fils avec sa femme et mes trois petits-enfants, qui ont seize, quinze et sept ans. Mon mari est mort il y a sept mois. Lui et moi avons vécu à Nagasaki plus de quarante ans. Ensuite, nous avons emménagé ici, à Kamakura. Mon fils, Yukio, travaille comme chimiste dans une compagnie de produits alimentaires, à Tokyo, qui est tout près d'ici. Ma belle-fille, Shizuko, travaille à mi-temps dans la bibliothèque du quartier. Elle a perdu ses parents à cause des bombardements des B-29 sur Yokohama. Elle n'a ni frères ni sœurs.

Chirin, chirin ! Je me retourne vers le timbre de bicyclette.

— Bonjour, madame Takahashi !

C'est le fils de monsieur Nakamura, un ami de mon défunt mari. Je m'incline :

— Bonjour !

Il me sourit. Il se dépêche de prendre le train pour aller au travail, à la gare de Kamakura. C'est notre voisin. Son père habite dans un autre quartier. Monsieur Nakamura venait presque toutes les semaines chez nous pour jouer au *shôgi*. Il passait plus de temps avec mon mari qu'avec son fils. Je ne le vois plus depuis les funérailles de mon mari.

Chirin, chirin ! Le bruit du timbre s'éloigne. De nouveau, je lève les yeux au ciel. Les oiseaux dans l'arbre s'envolent. Je regarde le nid des hirondelles contre le mur de la maison. Il est tout séché maintenant. Leur saison sera bientôt finie. Mon regard se fixe sur le nid. « *Tsubame...* » Une douleur court dans mon corps. Je me dis : « Yonhi Kim, où est-elle ? Mariko Kanazawa, où est-elle ? Mariko Takahashi, qui est-elle ? »

Aujourd'hui, nous sommes le premier septembre. Voici venir la date que je ne pourrai jamais oublier. Cinquante-neuf ans ont passé depuis le tremblement de terre. La disparition de ma mère et de mon oncle, qui étaient ma seule famille, a bouleversé ma vie.

Le prêtre étranger m'emmena à la mairie pour faire établir mon *koseki*. Il expliqua à la personne qui en était chargée : « Ses parents sont morts lors du tremblement de terre. J'ai essayé de chercher sa famille ou quelqu'un qui la connaissait. Malheureusement, personne ne s'est présenté à son sujet. Le pire, c'est qu'elle a perdu la mémoire. Elle ne se souvient même pas de son propre nom. À l'église, on l'appelle Mariko Kanazawa, temporairement. » Alors, ce nom a été inscrit sur le *koseki* avec l'adresse de l'église et je suis devenue légalement Japonaise. Ma mère avait conservé sa nationalité coréenne, mais je ne savais pas si j'avais la mienne ou non. Le prêtre a fait son possible pour que je ne devienne pas apatride.

Je suis restée dans l'église avec d'autres orphelins jusqu'à l'âge de quinze ans. Quand j'ai trouvé un travail de coursière dans une compagnie de produits pharmaceutiques, j'ai décidé de vivre toute seule. Le prêtre m'a rendu alors l'argent que ma mère lui avait confié. Avec cet argent j'ai loué un petit appartement et quitté l'église.

J'ai rencontré un pharmacologue qui travaillait dans un laboratoire de cette compagnie. Un an après, je suis devenue sa maîtresse. Quand je suis tombée enceinte, il était déjà marié avec une femme de famille riche. J'ai accouché dans mon appartement, avec l'aide d'une sage-femme et de madame Tanaka que j'avais connue à l'église. Je n'avais que dix-huit ans. J'ai appris plus tard que le vrai père de Yukio avait une fille qui s'appelait Yukiko. Notre liaison a continué jusqu'à ce que le prêtre me présente un homme qui s'appelait monsieur Takahashi. Il était aussi pharmacologue et un collègue du père de Yukio. Malgré l'opposition de ses parents, il m'a épousée et a adopté mon fils. Mon mari a trouvé un autre poste dans une succursale de la compagnie, à Nagasaki, et nous avons quitté Tokyo.

La veille de notre départ, le prêtre m'a rendu le journal de ma mère que j'avais complètement oublié. Dix ans avaient passé depuis le tremblement de terre. Pendant cette période, je n'avais jamais lu, ni entendu, ni écrit ma langue maternelle. Je n'étais plus capable de lire le coréen, surtout celui de son journal qui avait été écrit sous la forme cursive, utilisant beaucoup de caractères du *hanmun*. Je voulais bien en connaître le contenu, mais je n'osais montrer le journal à personne. Depuis, je ne sais pas combien de fois j'ai été tentée de le brûler. Néanmoins, j'ai manqué de courage pour le faire.

Je ne parle à personne de mon origine. Mon fils croit, comme autrefois mon mari, que ma mère et mon oncle sont morts pendant le tremblement de terre, en 1923. La défaite du Japon et l'indépendance de la Corée n'ont rien changé à l'attitude des Japonais contre les Coréens au Japon. La discrimination est toujours là. Avoir du sang coréen cause des soucis insolubles. Je ne pourrai jamais avouer l'histoire de mon origine à mon fils et à sa famille. Je ne veux absolument pas que notre vie en soit perturbée.

Les cosmos sont maintenant immobiles. Mon regard se fixe sur les fleurs : rose foncé, rose pâle, rose presque blanc. Ce jour-là aussi, lorsque ma mère a disparu, les cosmos étaient épanouis. Je ferme les yeux. Je vois l'image de ma mère superposée à celle des fleurs.

— Attends, grand-mère !

Tsubaki sort de l'entrée. Du bruit provient de son *randoseru*. Il est l'heure d'aller à l'école.

— Tu es enfin prête ! On y va, dis-je en prenant sa main.

Les vacances d'été sont terminées. L'école que Tsubaki fréquente commence aujourd'hui son deuxième trimestre. Récemment, elle s'est fait une amie dont la famille a emménagé dans notre quartier pendant les vacances. Elle et sa nouvelle amie, qui s'appelle Yumiko, se promettaient d'aller à l'école ensemble. Malheureusement, hier, son amie a eu soudain mal au ventre et elle a été hospitalisée. On doit l'opérer pour une appendicite. Très déçue, Tsubaki m'a demandé de l'accompagner à l'école durant l'absence de son amie. Il ne faut que quinze minutes à pied. J'ai accepté.

Tsubaki est la plus jeune de mes petits-enfants. Elle est née l'année où mon mari et moi nous nous sommes installés ici. Elle s'est attachée beaucoup à son grand-père, plus que sa sœur et son frère.

En marchant, Tsubaki chante une chanson sur un rythme que je ne suis pas capable de suivre. Je l'écoute sans prêter attention. De toute façon, je ne comprends pas les chansons modernes.

Tsubaki me parle sans cesse de sa classe et de son institutrice. Elle dit :

— Il y a deux élèves dans ma classe qui ont un drôle de nom. L'un s'appelle Niizuma et l'autre Wagatsuma. Quand on parle de la femme de monsieur Niizuma, on dit : « Elle est *niizuma* de monsieur Niizuma. » Quand monsieur Wagatsuma présente sa femme, il dit : « Voici *wagatsuma*. »

Je ris :

— C'est comique.

Elle demande :

— Sais-tu, grand-mère, pourquoi mon père m'a appelée Tsubaki ?

— Non, mais sans doute que ton père aime les fleurs de *tsubaki*.

— Il m'a dit que c'était pour se souvenir d'Uragami, à Nagasaki, où il a vécu avant d'aller travailler à Tokyo. Près de la maison, il y avait un bois de bambous avec des camélias et il passait beaucoup de temps là-bas à lire ou à se promener.

Je dis :

— Ah oui ? Je ne le savais pas.

— Et toi, grand-mère, qui t'a appelée Mariko ? Ma mère m'a dit que c'était un prénom rare et moderne à l'époque.

— Oui, dis-je, ta mère a raison. Autour de moi, je ne connais personne de mon âge qui s'appelle Mariko. C'est ma mère qui m'a donné ce prénom.

Tsubaki poursuit :

— Pourquoi a-t-elle choisi Mariko ?

Je fais une pause, puis réponds :

— Ma mère aimait l'Église catholique. Tu connais bien les noms *Maria* et *Kirisuto* ?

— Oui. C'est un joli nom, Mariko. Et quel était ton nom de famille avant d'épouser mon grand-père ?

Je m'arrête un moment. Un étrange sentiment m'envahit. Mon nom de jeune fille ? Duquel s'agit-il ? Je reste distraite. Tsubaki me regarde :

— Qu'est-ce qu'il y a, grand-mère ?

Je reviens à moi et dis :

— Je m'appelais Mariko Kanazawa avant de me marier.

J'ai porté ce nom pendant dix ans. Je me rends compte que je ne l'ai pas prononcé depuis des années.

— Kanazawa ?

Tsubaki l'a répété, l'air étonné :

— C'est aussi le nom de mon amie Yumiko !

— Yumiko Kanazawa ?

— Oui. Quelle coïncidence ! Je lui dirai.

Je marche en silence. Tsubaki recommence à chanter. Nous arrivons à l'entrée de l'école. Elle demande en levant les yeux au ciel :

— Quel beau temps ! Qu'est-ce que tu vas faire, grand-mère ?

Je réfléchis un instant et dis :

— Peut-être visiter la tombe de ton grand-père. Les fleurs que j'ai déposées l'autre jour doivent être fanées maintenant.

— Ah oui ? Alors, tu peux acheter des fleurs de *niezabudoka* ? dit-elle.

— *Niezabudoka ?* Qu'est-ce que c'est ? Je n'ai jamais entendu ce nom.

— C'est le nom des fleurs de *wasurenagusa* en russe. Mon grand-père m'a dit une fois qu'il les aimait beaucoup.

— Tu sais des choses sur mon fils et sur mon mari que j'ignore. D'accord, je vais en acheter s'il y en a encore chez le fleuriste. Tu sais bien que la saison des *wasurenagusa* est déjà finie.

Ses camarades passent devant nous. On entend la sonnerie du commencement des classes.

— Au revoir, grand-mère ! N'oublie pas le nom *niezabudoka*.

Tsubaki me quitte en courant après ses amies.

Je me courbe devant la pierre tombale sur laquelle est gravé « La tombe de la famille Takahashi ». Éclairée par le soleil, la surface de la pierre toute neuve brille. Je mets dans les deux vases de bambou les campanules que je viens d'acheter. Lorsque je les ai aperçues chez le fleuriste, je n'ai pu m'en empêcher. De toute façon, il n'y avait plus de *wasurenagusa* dont Tsubaki parlait. J'ai déjà oublié le nom de cette fleur en russe.

Mon mari était malade du cœur depuis des années. C'était à cause des travaux forcés qu'il avait faits en Sibérie. En 1943, il a été muté dans le laboratoire d'un hôpital en Mandchourie pour des recherches sur des médicaments de guerre. Le vrai père de Yukio était déjà arrivé à Nagasaki avec sa famille, pour le remplacer. Peu avant la fin de la guerre, mon mari a été envoyé en Sibérie et il est revenu au Japon deux ans après la guerre. C'est sans lui que Yukio et moi avons survécu à la bombe atomique. Heureusement, nous avons échappé au danger alors que nous habitions dans un quartier de la vallée d'Uragami où la bombe est tombée. Ce matin-là, j'étais allée à la campagne acheter du riz, et Yukio accompagnait un collègue de mon mari à l'hôpital universitaire du centre-ville. Au moment de l'explosion, ils étaient dans un bâtiment en béton qui les a protégés des radiations. Le vrai père de Yukio est mort chez lui.

C'est précisément ce matin-là que j'ai quitté la maison en emportant le journal de ma mère dans mon sac. Quel destin ! J'ai survécu à cette deuxième catastrophe avec la seule preuve de mon origine.

Les mains jointes, les yeux fermés, je prie pour l'âme de mon mari. C'était un homme de grand cœur. Il nous a protégés, Yukio et moi, tout au long de sa vie. Il a même renoncé à l'héritage de ses parents, qui s'opposaient tant à notre mariage. Il était le seul fils de la très riche famille Takahashi.

Je sais bien qu'il aurait accepté mon origine coréenne. Pourtant, je ne voulais pas partager avec lui mon fardeau. Cela aurait pu lui causer des soucis dans ses relations avec les gens et affecter l'avenir de Yukio et de ses enfants. Je me dis en regardant la pierre : « Mon chéri, me comprends-tu ? J'ai toujours été reconnaissante de ta force et de ta gentillesse. J'ai pu mener une bonne vie grâce à toi. »

En me levant, soudain, je me rappelle le nom de la fleur en russe : *niezabudoka*. Mon mari n'aimait parler à personne de ses deux années en Sibérie. Sa vie avait dû être pénible là-bas. Néanmoins, il avait gardé cette fleur dans sa mémoire.

— Madame Takahashi !

C'est monsieur Nakamura, le père du voisin. Je reviens du cimetière.

Monsieur Nakamura me salue :

— Comment allez-vous ?

Je réponds en m'inclinant :

— Très bien. Je vous remercie de votre aide lors des funérailles de mon mari.

Il poursuit :

— Ce n'est rien, madame. Monsieur Takahashi et moi étions bons amis. Il n'a vécu ici, à Kamakura, que sept ans, mais j'avais l'impression que je le connaissais depuis longtemps. Nous avons tellement joué au *shôgi* ensemble. Cela me manque beaucoup maintenant, même s'il me battait tout le temps. À propos, votre fils et sa famille vont-ils bien ?

Il parle sans arrêt. Je me rappelle que mon mari et lui bavardaient en buvant du saké. Je ne me suis jamais jointe à eux. Je ne suis pas sociable.

Je dis :

— Excusez-moi, je suis pressée aujourd'hui.

Au moment où je le quitte, monsieur Nakamura me dit brusquement :

— Avez-vous écouté les nouvelles à propos de l'exhumation des corps des Coréens ? Selon la radio…

« Quoi ? L'exhumation des corps des Coréens ? » Ces mots me donnent un coup au cœur. Je ne comprends pas tout de suite ce qu'il veut dire. Je ne réponds pas. Il demande :

— Vous connaissez bien l'histoire du *Kanto-daïshinsaï*, n'est-ce pas ?

Je réponds :

— J'ai survécu à ce tremblement de terre. J'ai perdu ma mère et mon oncle.

Il me regarde en face, très surpris :

— Mon Dieu… Pardonnez-moi. Je savais que vous et votre fils aviez survécu à la bombe atomique de Nagasaki, mais je ne savais pas que vous aviez aussi été victime de ce séisme.

Je reste silencieuse. Après un moment, il dit, hésitant :

— Je suis tellement peiné pour les gens comme vous, qui ont souffert de pareils désastres. Pourtant, quand je pense à ces milliers de Coréens qui ont été tués pendant la crise, mon cœur se déchire. J'ai honte d'être Japonais. Les gens ordinaires ont pris part volontairement au massacre en croyant les faux bruits que le gouvernement avait répandus. J'habitais à Funabashi à l'époque. J'ai entendu des gens crier : « Des Coréens tentent de déclencher une émeute ! » On parlait même d'un avertissement dans certains postes de police…

Monsieur Nakamura s'arrête. Je lui demande :

— Qu'est-ce que vous alliez me raconter ? « Selon la radio… » ?

— Ah oui, dit-il. On disait que la cérémonie officielle annonçant cette pénible opération aurait lieu ce matin sur la berge près de la station d'Arakawa. L'exhumation elle-même commencera là-bas à neuf heures demain matin.

Je poursuis :

— Qui exhume les corps ? Le gouvernement ?

— Mais non ! Ce sont des Coréens du *nisei* et des Japonais qui n'ont rien à voir avec le gouvernement. On dit que l'initiateur de cet événement est une institutrice japonaise. Je respecte son courage. C'est une tache honteuse qu'on a laissée dans notre histoire. Le gouvernement ne leur a jamais fait ni excuses ni réparations. Pardonnez-moi, j'ai parlé trop longuement. Tenez, quel beau temps ! Il faut en profiter. Au revoir !

Monsieur Nakamura me quitte. Je reste sur place, troublée.

Je vole au-dessus des nuages. Éparpillés comme les motifs d'un tapis, ils s'étendent à l'infini. Le vent fait flotter mes cheveux longs. Je ne sens pas le poids de mon corps. En respirant l'air pur, je me répète : « Je suis libre ! » J'entrevois à travers des trouées de nuages un village situé près d'une côte. Les maisons, les arbres, les ponts, la rivière… Ils sont tout petits. Je m'approche. Il y a des fleurs de cosmos en pleine floraison autour des maisons, le long des chemins, sur la digue de la rivière. Je vois aussi des fleurs de gentiane et de campanule entre de grosses pierres. C'est beau ! Cela continue jusqu'à la côte. Les vagues déferlent sur les roches blanches. Les goélands planent en criant. Tous ces paysages me sont familiers.

« Où suis-je ? » Je réfléchis quelques instants. « Ah, ça doit être l'endroit où ma mère est née ! » J'alterne entre le village et la côte. Les oiseaux me suivent avec le vent.

Soudain, contre ma volonté, mon corps se met à tomber. Le paysage tourne autour de moi. « Au secours ! » La surface de la mer s'approche de plus en plus. Terrifiée, je crie : « Ah ! Maman ! »

Je me réveille juste avant de frapper l'eau. Je suis en sueur. Ma bouche reste ouverte. J'ai soif. Ai-je vraiment crié ou non ? J'écarquille les yeux dans le noir. Je n'entends que le tic-tac du réveil. J'allume la lampe. Il n'est que quatre heures du matin. Nous sommes le deux septembre. Le jour où ma mère a disparu.

Je n'ai plus sommeil. Je me lève. Je prends dans un tiroir de l'armoire le journal de ma mère et regarde longuement la couverture jaunie.

J'ouvre la porte d'entrée. Le soleil aveuglant, le ciel limpide, l'air frais. Les oiseaux chantent. Les cosmos brillent. Tout est beau comme hier. Pourtant, je ne me sens pas bien. J'ai mal à la tête.

J'attends Tsubaki dans le jardin en arrachant des mauvaises herbes.

Chirin ! Chirin ! Le fils de monsieur Nakamura passe devant la maison. Il me salue :

— Bonjour, madame Takahashi !

Je ne fais que m'incliner un peu. Tsubaki sort de la maison.

— On y va, grand-mère !

Elle sautille, chante et parle sans cesse. Je la suis, le pas hésitant. Je regarde ma montre. Il est huit heures vingt minutes. Tsubaki dit :

— Dépêche-toi, grand-mère ! Je vais être en retard à l'école.

Je m'arrête :

— Désolée. Tu dois y aller seule.

— Pourquoi ?

— J'ai oublié que j'avais quelque chose d'important ce matin.

Déçue, elle dit :

— D'accord. Au revoir !

Elle me quitte en courant. Je change de direction et me dirige aussitôt vers la gare de Kamakura.

Je descends du train à la gare d'Arakawa, située avant le pont qui enjambe la rivière. Je marche dans la rue construite sur la digue. Il est déjà dix heures. Je me raidis au moment où je vois, de l'autre côté de la rue, un groupe debout le long du parapet. Leurs silhouettes ne bougent guère. Ces gens semblent regarder en bas. Des bicyclettes sont posées au bord de la rue. Des automobilistes conduisent avec prudence. Certains s'arrêtent et descendent de voiture pour voir ce qui se passe. On répète :

— Quoi ? On cherche les cadavres de centaines de Coréens enterrés en 1923 ? Incroyable !

Je traverse la rue. Quelqu'un crie : « Quelle fosse ! » Mon cœur se met à battre. Je m'approche du parapet. J'écarquille les yeux. Je vois, sur la berge, une gigantesque fosse. On pourrait y mettre une maison entière. Il semble que la plus grande partie du creusage soit terminée. On voit un monticule de terre derrière une grande pelle mécanique. Autour de la fosse se tient un autre groupe de spectateurs. Au fond, plusieurs hommes grattent la terre des parois avec une pelle. Chaque fois que l'un d'entre eux découvre un objet, les gens en haut demandent en se penchant :

— Qu'est-ce que c'est ? Peut-être un os !

— Non. Sans doute une pièce de verre.

« Un os ? De qui ? De ma mère ? De mon oncle ? » Je regarde de nouveau la digue, la berge et la rivière, qui continuent à perte de vue. Je n'ose descendre tout de suite. À côté de moi, deux hommes se parlent. Ils se ressemblent. L'un dit à l'autre :

— Papa, je ne savais pas que c'était une rivière artificielle qui sert à l'évacuation de l'eau.

— Tu es trop jeune pour savoir qu'en 1910 la région de Kanto a été touchée par un déluge qui a fait beaucoup de dégâts. C'est pour ça qu'on a construit ce canal, répond son père.

— En 1910 ? Ah, oui ! C'est l'année où le Japon a annexé la Corée, n'est-ce pas ?

— Annexé ? Hein ! C'est l'invasion même. En conséquence, des milliers et des milliers de Coréens sont venus au Japon chercher du travail.

Je regarde le visage du père. Les mains croisées, il observe sérieusement l'opération en contrebas. Ses paupières mongoles me rappellent les yeux de mon oncle. Je me demande un moment s'il est d'origine coréenne et s'il cache son identité à ses enfants parce qu'il est devenu Japonais…

Je l'entends parler de ce qui s'est passé sur la digue après le tremblement de terre. L'armée avait obligé des Japonais à venir creuser ici. Les soldats avaient mis les Coréens en rangs et les avaient mitraillés. Ces Japonais avaient brûlé les cadavres avec du pétrole et les avaient enterrés…

Je pense à mon oncle, qui pouvait être l'une de ces victimes. La tête me tourne. Je me bouche les oreilles et je ferme les yeux. « Non ! Non ! » Longtemps, je reste figée sur place.

Le père du jeune homme dit :

— Je dois te dire aussi, mon fils, les victimes n'étaient pas seulement des Coréens, mais aussi des Chinois et des Japonais de la région de Tôhoku.

Le fils dit :

— Des Chinois et des Japonais ? Comment ça ?

— Ils ont été confondus avec les Coréens à cause de leur accent.

Je me souviens des voisins du *nagaya* où ma mère et moi habitions à l'époque. C'étaient des gens de la province qui parlaient avec un fort accent. Je pense : « Les Japonais ont-ils tué aussi leurs compatriotes sans même les identifier ? »

Le père du jeune homme continue :

— Les gens ont tué les Coréens de diverses manières ; avec une lance de bambou, une pioche, une scie, un couteau.

— L'as-tu vu ?

Le père se tait un moment et répond :

— Oui. Il y avait des centaines de cadavres laissés aux champs le cou coupé, le bras tordu, la tête fendue. Même celui d'une femme enceinte, le ventre ouvert, l'enfant visible. C'était une atrocité.

J'ai failli m'évanouir. Je me demande : « Descendre ou retourner maintenant ? » Après avoir réfléchi, je mets mes lunettes de soleil et descends sur la berge près des gens qui surveillent les travaux. Quelques hommes prennent des photos. « Sont-ils journalistes ? » Je me cache le front sous le bord du chapeau.

De l'autre côté de la fosse, je vois un groupe de jeunes filles en *chima-chogori*, en compagnie d'une femme qui a l'air d'un professeur. Je m'approche d'elles. Les filles se parlent en coréen. Je ne comprends pas ce qu'elles disent. Pourtant, l'intonation me rend nostalgique. La femme regarde le fond de la fosse, un bouquet de fleurs dans ses bras. Elle se tient immobile. Le visage blanc, les yeux en amande, les pommettes saillantes. Les longs cheveux noirs attachés sur la nuque, la raie au milieu. Le dos tout droit. Je regarde de nouveau les fleurs bleues dans ses bras. Ce sont des campanules ! En un instant, je me dis : « Maman ! » Je suis au bord des larmes. Mes pieds tremblent. La femme commence à fredonner la mélodie d'*Ariran*. Mes larmes tombent. « Elle est là ! Elle est revenue me chercher après cinquante-neuf ans d'absence ! » Le bleu des campanules brille sur la manche du *chogori* blanc.

L'opération au fond de la fosse continue. L'espace est limité. De temps en temps, les hommes se relaient. Le bruit du grattement sur le sol résonne sous le soleil chaud. Chaque fois qu'on crie le mot « os », cela me fait frissonner. Les gens observent, avec patience ou bien avec irritation, les travaux qui semblent ne jamais finir.

— Qu'est-ce que vous avez ?

Je tourne la tête vers la voix. Un homme tient les bras d'une vieille femme accroupie par terre. Elle lève sa tête. Je vois son visage. Les lèvres épaisses. Les yeux arrondis. D'étonnement, je me dis : « Madame Tanaka ! » Non, ce n'est pas possible...

L'homme demande de nouveau à la vieille femme :

— Y a-t-il ici quelqu'un qui vous connaît ?

Elle secoue la tête, puis il dit aux gens quelque chose en coréen. Elle proteste en japonais :

— Ce n'est pas grave. Merci, vous êtes gentil. J'ai eu un moment de vertige. C'est fini. Je vais rentrer à la maison.

Elle se lève en chancelant. L'homme s'inquiète :

— Vous êtes sûre ?

Je m'approche d'eux :

— Madame, je pourrais vous accompagner. J'étais sur le point de partir.

La vieille femme me regarde un moment, l'air confus. J'insiste.

L'homme me dit :

— Montez l'escalier là-bas. C'est le raccourci pour prendre le train ou l'autobus.

Dans la rue sur la digue, le nombre de spectateurs a diminué. Plusieurs taxis sont stationnés le long du parapet. En marchant lentement avec la vieille femme vers la station, je lui demande où elle habite. Elle me dit son adresse en ajoutant :

— C'est un petit quartier situé derrière la colline d'où l'on peut découvrir la ville de Tokyo. Lors du tremblement de terre, beaucoup de gens s'y étaient réfugiés.

« C'est la colline de gentianes ! »

Je lui dis :

— Attendez un moment, madame.

Je me retourne vers le parapet et hèle un taxi.

La vieille femme dit au chauffeur :

— C'est ici. Ma maison est tout près.

Le taxi s'arrête devant l'entrée d'une petite ruelle. On ne peut plus y passer en voiture. Je dis au chauffeur :

— Je reviendrai dans quelques minutes. J'accompagne cette dame jusque chez elle.

Elle m'interrompt :

— Non. Je voudrais que vous restiez un peu chez moi.

C'est elle maintenant qui insiste. Je réfléchis un moment. Le chauffeur attend ma réponse. Je lui dis :

— D'accord. Monsieur, vous pouvez partir maintenant.

Je lui paie la course. J'aide la vieille femme à descendre. Le taxi s'en va. Nous sommes dans un quartier où les maisons sont entassées en désordre. Je regarde autour de moi.

Je lui demande :

— Où est la colline dont vous avez parlé ?

Du doigt elle désigne le nord. Je ne vois qu'un haut bâtiment de béton. Elle dit :

— La colline est cachée par ce bâtiment. Mais ce n'est pas loin. Quinze minutes à pied. Mes enfants y jouaient tous les jours après l'école.

Elle me conduit dans la ruelle très étroite, remplie d'ombre. Il fait frais. Je marche lentement derrière elle. Par terre traînent des boîtes en carton et des bouteilles de bière vides. La ruelle est bordée de plusieurs maisons sans étage. Je regarde les fenêtres, les toits, les portes. Quand une odeur me frappe, je m'arrête et demande :

— Qu'est-ce que c'est, cette odeur ?

La vieille femme dit :

— C'est l'odeur du *kimchi*. Pas de repas sans riz et *kimchi* !

Un chat erre le long des maisons. Les cosmos s'agitent dans la plate-bande devant une maison. « Où suis-je ? » Un moment après, je retombe en enfance. « C'est l'endroit d'autrefois où je vivais avec ma mère ! » La douleur circule dans mon corps. Mes jambes tremblent. « Ce n'est pas possible... »

La vieille femme tourne la tête vers moi :

— Excusez-moi de vous faire venir dans un endroit aussi sale.

Je secoue la tête :

— Ne vous en faites pas, madame. Je voudrais simplement m'assurer que vous rentrez chez vous sans problèmes.

Je fais une pause et demande :

— Votre mari est-il à la maison ?

— Non. Il est mort depuis des années. J'habite seule. Et vous ?

— Mon mari aussi est mort.

— Alors, nous sommes veuves ! C'est toujours comme ça. Les femmes vivent plus longtemps que les hommes. C'est peut-être mieux que le contraire, dit-elle.

Je demande :

— Pourquoi ?

— Les hommes dépriment facilement après avoir perdu leur compagne. Il se peut qu'ils soient plus romantiques que les femmes.

Je souris. Nous arrivons chez elle. Une plaque d'identité est accrochée au-dessus de la porte. Elle me dit :

— C'est le nom de mon mari, monsieur Yi. Moi, je suis madame Kim. En Corée, le nom des femmes ne change pas après le mariage. Yi et Kim, ce sont des noms typiques.

« Kim ? » J'ai un choc. Madame Kim me demande :

— Et quel est votre nom ?

Je bégaie :

— Moi ? Je suis madame Takahashi.

Elle sourit :

— Enchantée, madame Takahashi.

C'est une vieille maison avec une fenêtre en façade. Le bois de la charpente est blanchi. Je regarde le toit. Sur la surface de la gouttière, il y a des traces de réparation. Madame Kim ouvre la porte sans clef. Nous entrons, mais elle ne la referme pas.

— Vous laissez la porte ouverte ?

— Oui, dit-elle. Ici, tout le monde se connaît, comme dans une famille. D'ailleurs, il n'y a rien à voler chez moi.

Elle m'offre un *zabuton*. Je m'assieds devant la table basse. Au coin de la pièce, il y a un colis, qui n'est pas encore ouvert. En face, une bibliothèque est posée contre le mur, remplie de livres coréens. Sur l'un des rayons, il y a une photo en noir et blanc dans un cadre. Elle est jaunie. Deux garçons et une fille se tiennent debout en souriant. Les garçons portent un uniforme noir de collégien et la fille un costume marin. Madame Kim dit en me servant un verre de thé glacé :

— Ce sont mes enfants. Ma fille habite près de chez moi et mes fils vivent à l'étranger.

Le mot « étranger » m'étonne. L'image de ce quartier ne s'harmonise pas avec ce mot. En me montrant le colis, elle dit :

— Ce matin, je l'ai reçu de mon fils cadet, peu avant de partir à la digue d'Arakawa.

Je remarque les timbres étrangers. Je demande :

— Qu'est-ce qu'ils font à l'étranger, vos fils ?

Elle dit :

— L'aîné travaille aux États-Unis et le cadet au Canada, comme professeurs.

— Professeurs ?

Je me tais. Je ne sais que dire. « La mère dont les fils sont professeurs habite dans un quartier pareil ? » Madame Kim ne se rend pas compte de ma confusion. Elle insiste pour que je mange quelque chose avant de partir. Je regarde ma montre. Il est une heure de l'après-midi. Sans attendre ma réponse, elle retourne dans la cuisine et commence à préparer un repas. Je bois le reste du thé. J'entends quelqu'un.

— Bonjour, madame Kim. Vous êtes là ?

Une femme d'une quarantaine d'années entre dans la maison, un panier de bambou dans les bras. Elle m'aperçoit et s'incline. Madame Kim sort de la cuisine, me la présente et lui explique pourquoi je suis ici. La femme me dit :

— C'est gentil. Merci de l'avoir raccompagnée.

Elle montre à madame Kim le contenu du panier. Ce sont des épis de maïs déjà cuits à l'eau. Le jaune brille. Elle lui dit :

— Mon mari en a acheté beaucoup hier. J'en ai mangé quelques-uns tout à l'heure. Ils étaient délicieux ! Goûtez-y.

Madame Kim dit :

— Tu arrives au bon moment ! J'en mangerai avec mon invitée.

Elle dépose le panier sur la table. La femme me salue de nouveau et sort de la maison. Je demande à madame Kim :

— Est-elle de votre famille ?

— Non, c'est une voisine japonaise, répond-elle en retournant dans la cuisine.

Mes yeux sont fixés sur les épis de maïs. Je vois l'image de mon oncle et de ses doigts fins. Il sourit. Il fume. Il chante. Il écrit. Il mange des épis de maïs avec appétit. Ma vue est brouillée par les larmes. Devant moi, les grains jaunes s'estompent.

Je suis arrivée au sommet de la colline. Je ne vois personne. À ma surprise, elle est sauvage comme autrefois, bien que la ville ait complètement changé. Je regarde dans la direction où se trouvait notre *nagaya*. J'aperçois de vieilles usines. Des colonnes de fumée s'élèvent. Elles sont grises.

Je m'assieds sur un vieux banc de bois installé près d'un arbre. Il fait frais à l'ombre. Je ferme les yeux. Je vois mon oncle, les campanules, les gentianes, les oiseaux, les arbres… Un moment, j'entends la voix de la femme qui crie : « Madame Kanazawa ! »

Je regarde le ciel bleu. Je réfléchis à ce que madame Kim m'a dit. En l'écoutant, j'ai eu l'illusion que madame Tanaka était devant moi. Madame Kim m'a demandé : « Avez-vous des enfants ? » J'ai dit : « J'ai un garçon. » « Qu'est-ce qu'il fait ? » « Il est chimiste. » Elle s'est tue un moment et a dit : « Nos fils étaient toujours parmi les meilleurs de la classe. Quand l'aîné a eu seize ans, il nous a demandé d'obtenir la nationalité japonaise pour toute la famille. Cela nous a étonnés. Il a dit : "Sans cela, j'aurai beau étudier fort et entrer dans une bonne université, je ne pourrai jamais trouver un bon emploi. J'aimerais devenir professeur de mathématiques. Il n'est même pas certain que l'école accepte que les *zaïnichi* se présentent à l'examen d'admission." Mon mari lui a expliqué : "Tu dois comprendre que *kika* ne veut pas dire simplement obtenir la nationalité japonaise tout en gardant son identité raciale. Il faut abandonner la nationalité d'origine et être Japonais avec un nom japonais. Et si tu es devenu Japonais, les Coréens d'ici ne t'accepteront plus comme compatriote et les Japonais ne te considéreront jamais comme Japonais s'ils apprennent que tu es d'origine coréenne. Cela n'a aucun sens. Si tu tiens vraiment à devenir professeur, va à l'étranger. Même si tu réussis bien dans ta profession, je ne serai pas heureux de savoir que tu dois encore cacher ton identité." »

Chaque mot que madame Kim a prononcé m'a donné une douleur aiguë. Je pense à mon fils et à ses enfants. Elle m'a dit : « Vous êtes Japonaise. Je sais que ce n'est pas facile de comprendre notre situation. » La tête baissée, je n'ai fait que l'écouter en silence.

Madame Kim a continué : « Mes enfants étaient toujours la cible de l'*ijime*. Leurs camarades se moquaient du nom coréen en disant "Toi, *Chôsenjin* !" Souvent, nos fils rentraient à la maison, le visage blessé. Et notre fille pleurait constamment, car ses camarades lui volaient ses fournitures scolaires et les jetaient à la poubelle. À l'époque de la colonisation, le gouvernement du Japon exigeait que nous portions un nom japonais. Mais mon mari ne l'a jamais accepté. Quand mes enfants nous ont demandé de changer leur nom en japonais, mon mari leur a dit : "Nous ne changeons pas notre nom pour cacher notre identité coréenne. Vous n'avez rien à corriger. C'est vos camarades qui doivent corriger leur attitude !" Il avait tout à fait raison. Mais j'avais pitié de nos enfants. Je comprends le sentiment des parents qui utilisaient un nom japonais. Pourtant, ce n'est pas facile non plus de vivre en cachant son identité ; leur vie doit être aussi difficile que la nôtre, car ils ne peuvent échapper non plus aux obstacles que tous les *zaïnichi* coréens affrontent et ils doivent avoir un poids sur la conscience, comme s'ils se mentaient à eux-mêmes. »

Ces paroles ont serré mon cœur. Je voulais crier devant madame Kim, mais je devais garder mon calme.

Je lui ai demandé timidement pourquoi elle et son mari n'étaient pas retournés dans leur pays après la guerre. Elle m'a dit : « Je suis née dans l'île de Cheju et je l'ai quittée avec mon mari à cause du choléra qui a frappé la population durant l'été 1920. C'était un endroit très pauvre à l'époque. Les gens sont devenus encore plus pauvres. Alors, nous avons décidé d'aller au Japon chercher du travail. Le massacre des Coréens lors du tremblement de terre nous a fait craindre de continuer à vivre au Japon, mais nous ne savions où aller. La vie dans l'île était toujours difficile. Il était hors de question de partir pour le continent. Là-bas, la discrimination contre les gens originaires de l'île était aussi sévère que celle en vigueur au Japon. Alors nous avons décidé de rester ici. »

Et à la fin, elle a dit quelque chose que je n'avais jamais imaginé : « Nous avons été sauvés par un policier japonais lors de la crise en 1923. » Selon elle, il a protégé quelque trois cents Coréens à son poste. Mille Japonais étaient arrivés là-bas en criant que les Coréens avaient jeté du poison dans les puits. Le policier leur a hurlé : « Si c'est vrai, apportez l'eau ici. Je vais la boire ! » Il l'a bue réellement. Les gens ont enfin quitté le poste. Sans lui, madame Kim et son mari auraient été tués. Elle a ajouté : « C'est une chance très rare d'avoir rencontré une personne brave comme lui. C'est dommage. Quand même, son existence nous a donné l'espoir de vivre ici, comme celle de l'institutrice japonaise et des autres qui élèvent la voix pour les victimes de ce massacre. »

Je m'allonge sur le dos dans l'herbe. Je ne vois que le ciel. Il vente légèrement. Les oiseaux chantent dans l'arbre. Quelle tranquillité ! Je ferme les yeux. Je voudrais rester ainsi longtemps, sans penser à rien.

J'erre dans une rue commerçante. J'ai failli heurter quelques passants. Je ne sais pas où je suis exactement, ni comment je suis arrivée ici après être descendue de la colline. Je me sens inerte comme si j'étais tombée dans un état de prostration. Il est étrange que je sois encore capable de marcher.

Je m'arrête devant une librairie. Des livres pour enfants sont exposés dans la vitrine. Un livre intitulé *Oyayubi-hime* m'attire avec l'image d'une petite fille assise sur le dos d'une hirondelle, qui vole au-dessus des fleurs. Le regard de la fille est déterminé et l'hirondelle a un air fier. Tout d'un coup, je vois le visage du prêtre. La barbe noire, le nez long, les yeux brun foncé. Il se tient debout, habillé de son vieux costume noir.

J'entre dans la librairie. Je demande à la femme qui travaille derrière le comptoir de me montrer ce livre. Elle en prend un autre exemplaire sur l'étagère :

— C'est une histoire que les enfants aiment beaucoup.

J'ouvre la première page. « Il était une fois…
une femme qui voulait avoir un tout petit enfant.
Un jour, elle alla voir une vieille sorcière et lui
demanda… » Je suis les images. C'est l'histoire
d'une petite fille qui s'appelle Poucette. Elle sauve
une hirondelle blessée et part avec elle dans un
pays chaud, après avoir subi une misérable vie.
Dans un endroit débordant de fleurs, elle rencontre
un prince charmant et se marie avec lui.

Je dis à la femme :

— J'en prends deux, madame.

Elle répète :

— Deux ?

— Oui.

Je sors de la librairie et saute dans un autobus
à destination de la gare d'où je pourrai retourner
à Kamakura.

Pour le repas du soir, tout le monde se met à table. Les petits-enfants parlent des événements du jour. Je mange en silence. Shizuko me dit :

— Vous avez l'air fatiguée.

Je dis :

— J'ai marché trop longtemps. Je cherchais des livres que je voulais acheter depuis des années.

Mon fils me jette un coup d'œil. Tsubaki lui demande brusquement :

— Papa, qu'est-ce que ça veut dire, *zaïnichi* ?

J'ai failli laisser tomber mes baguettes. Je baisse les yeux. Shizuko regarde mon fils. Tsubaki continue :

— Aujourd'hui, quelqu'un dans ma classe a dit que mon amie, Yumiko, est *zaïnichi*.

« Yumiko est *zaïnichi* ? » Cela m'étonne. Avant que mon fils réponde, Natsuko, sa fille aînée, interrompt :

— Je ne savais pas qu'elle était Coréenne !

Tsubaki répète :

— Yumiko est Coréenne ? *Zaïnichi*, ça veut dire Coréen ?

Mon fils explique :

— *Zaïnichi*, ce sont les étrangers qui habitent au Japon. On utilise souvent ce mot pour parler des immigrants coréens parce qu'ils représentent la majorité d'entre eux.

Tsubaki dit :

— Mais… Yumiko parle japonais comme tout le monde. Son nom de famille aussi est japonais. Elle et ses parents sont nés au Japon. Alors pourquoi n'est-elle pas Japonaise ?

Mon fils répond :

— Parce que ton amie n'a pas la nationalité japonaise. Elle n'a pas le *koseki*. Tu sais bien, Tsubaki, quand on va à l'étranger, on a besoin du passeport japonais. Pour l'obtenir, il faut montrer le *koseki*. La famille de ton amie garde encore la nationalité de la Corée du Sud ou du Nord.

— Le Japon n'accepte pas que les étrangers aient la nationalité japonaise ?

— Si, mais c'est très difficile de l'obtenir. Alors, certains doivent vivre ici comme immigrants, même ceux de la deuxième et de la troisième génération.

Insatisfaite, Tsubaki poursuit :

— Ça me semble bizarre. Pour moi, Yumiko n'est que Japonaise.

Ma belle-fille lui dit :

— Pour toi, la nationalité de ton amie n'a pas d'importance. Ce qui est important, c'est que Yumiko soit ton amie.

Après le dîner, sur l'insistance de sa mère, Tsubaki sort du salon pour prendre un bain.

Natsuko parle toujours du même sujet avec son père. Fuyuki, son frère cadet, les écoute.

Elle demande :

— Papa, quelle est la population des *zaïnichi* coréens ?

— Je crois qu'elle est de quelque 650 000.

— Tant que ça ?

— Oui.

— Ce sont les descendants des gens qui ont été amenés au Japon pour travaux forcés pendant la colonisation japonaise, n'est-ce pas ?

Mon fils dit en réfléchissant :

— Pas vraiment, Natsuko. J'ai appris récemment dans un livre que la plupart de ces gens avaient été renvoyés en Corée après la guerre par le gouvernement du Japon.

Je regarde mon fils. C'est la première fois que je l'entends parler de ces choses. Il dit :

— Les *zaïnichi* coréens sont plutôt les descendants des gens qui sont venus ici par eux-mêmes pendant la colonisation.

Cela me rappelle l'histoire de madame Kim. Il ajoute :

— Il y avait aussi ceux des clandestins qui sont arrivés tout juste après la guerre ou bien à l'époque de la révolte en Corée.

Natsuko dit :

— Ah oui ?

« Clandestins ? » Ce mot me donne de la douleur. Je vois l'image de ma mère et de mon oncle. La perte du travail, de la patrie, de la liberté. Ce qui attend ces gens dans un pays inconnu, c'est une vie misérable.

Natsuko poursuit :

— Pourquoi ces gens, comme la famille de Yumiko, portent-ils encore un nom japonais alors que la colonisation est terminée depuis longtemps ? Est-ce afin d'éviter toute discrimination ?

Le visage crispé, mon fils dit :

— Malheureusement.

Fuyuki ouvre la bouche pour la première fois :

— Ce n'est pas sain du tout.

Natsuko lui demande :

— Qu'est-ce qui n'est pas sain ? Cacher leur identité ?

Il dit :

— Au contraire. C'est la société japonaise qui n'est pas saine. Ces gens ne peuvent pas se présenter ici avec leur propre nom.

Mon fils dit :

— Tu as raison, Fuyuki.

Les petits-enfants sortent du salon pour faire leurs devoirs. Mon fils lit le journal. Je me demande : « Y a-t-il des articles à propos de l'événement sur la berge d'Arakawa ? » Mais je n'ose lui poser la question. J'ouvre une revue et tourne des pages, sans raison. Je regarde le visage de mon fils. Il m'ignore. Au bout d'un moment, je lui dis, hésitante :

— Tu sais, Yukio…

— Quoi ? répond-il sans me regarder.

Je me tais. Il me jette un coup d'œil par-dessus ses lunettes.

Je bégaie :

— Tu… tu te souviens de l'histoire de ma mère et de mon oncle qui sont morts lors du *Kanto-daïshinsaï* ?

— Bien sûr. En fait, je pensais à eux.

« Quoi ? Il pensait à eux ? Qu'est-ce qu'il veut dire ? »

Il continue :

— L'anniversaire de leur mort, c'est aujourd'hui, n'est-ce pas ?

— Oui…

— Hier, j'ai entendu à la radio que l'exhumation des corps des Coréens aurait lieu cette semaine sur une berge d'Arakawa. Es-tu au courant ?

Je ne sais que répondre. Mes membres se glacent. Je tente de cacher mon trouble. Je dis simplement :

— Non.

Mon fils pose le journal et ses lunettes sur la table et m'explique ce qu'il a entendu à la radio. Je l'écoute distraitement. L'image de madame Kim tourne dans ma tête. Mon fils termine :

— Je sais que cette histoire n'a rien à voir avec la mort de ta mère et de ton oncle. Je me demande si nous pourrions leur élever un tombeau.

Étonnée, je répète :

— Un tombeau à eux ?

— Oui. Même après cinquante-neuf ans, il n'est pas trop tard pour prier pour le repos de leur âme comme les Coréens tentent de le faire.

Je dis :

— Ton père m'avait proposé la même chose et je lui avais dit non.

— Pourquoi ?

— Je ne me remettrai jamais de la perte de ma famille. Ce tremblement de terre m'a déjà assez fait souffrir. Je n'avais que douze ans à l'époque. Si je voyais leur tombeau, mon chagrin deviendrait plus profond qu'avant.

Mon fils approuve :

— Je comprends. En fait, c'était l'idée de Shizuko. Tu sais bien qu'elle a perdu ses parents lors des bombardements sur Yokohama.

Nous nous taisons. Il reprend le journal et ses lunettes.

— Mon chéri ! Tu peux me donner un coup de main ?

Shizuko a appelé Yukio de la cuisine. Il répond :

— Attends ! J'arrive tout de suite.

Il se lève et me demande :

— Pourquoi as-tu parlé ce soir de ta mère et de ton oncle ? Avais-tu quelque chose à me dire ?

Je réponds :

— Non, rien.

Il me quitte.

— Arrête !

J'ai entendu derrière moi la voix menaçante d'un homme. Il pointe quelque chose dans mon dos, comme un bout d'un bâton. Il dit avant que je tourne la tête :

— Haut les mains !

Mon sang se glace d'effroi. « Il a un revolver ! » Je lève les mains.

— Bien, avance maintenant.

Je marche timidement. Il hurle :

— Vite ! Tout le monde t'attend !

« Tout le monde ? Qui sont-ils ? » Poussée, j'arrive sur la digue d'une rivière. Je vois sur la berge une gigantesque fosse et autour, des milliers de gens.

Je crie :

— Non, non !

L'homme me pousse plus fort :

— Descends ! Ta mère est là.

« Ma mère est là ? » Je crie de toutes mes forces :

— Maman !

Quelqu'un dans la foule agite la main. « Ça doit être maman. » Je descends en courant sur la pente de la digue. L'homme hurle derrière moi :

— Arrête ! Sinon, je tire !

Je l'ignore et continue à courir. Un coup de feu. Soudain, mon corps flotte en l'air et s'élève dans le ciel. « Je vole ! » La fosse devient petite. Les bras étendus, je tournoie au-dessus des gens. Je cherche ma mère.

— Au secours !

Maintenant, tout le monde agite les mains vers moi. Je m'approche. Quelqu'un m'attrape les bras et quelqu'un d'autre les pieds. Je me tords. Je vois le fond de la fosse. Je suis paniquée :

— Lâchez-moi !

Je me réveille dans le noir. Un moment, je me demande : « Où suis-je ? Dans la fosse ? » Mes yeux s'adaptent lentement à l'obscurité. Je regarde les rideaux, la pendule, le calendrier sur le mur. Je respire profondément et me lève. Je prends le journal de ma mère dans le tiroir. Assise sur le lit, je reste immobile jusqu'à une heure avancée de la nuit.

La porte d'entrée est ouverte. J'appelle :

— Bonjour, madame Kim ! Vous êtes là ?

La voix de l'intérieur répond :

— Entrez !

Elle est là. Aussitôt qu'elle m'aperçoit, elle s'exclame :

— Quelle surprise ! Venez.

Elle est assise devant la table basse, un crayon à la main. Je remarque des morceaux de papier sur lesquels un chiffre est inscrit. Autour d'elle, des jouets sont éparpillés. Je dis :

— Je vous dérange ?

— Non. Au contraire, je suis très contente de vous revoir. J'ai regretté l'autre jour de ne pas vous avoir donné mon numéro de téléphone.

Elle déplace les jouets et me donne un *zabuton*. Elle dit :

— Ce sont les cadeaux que mon fils cadet m'a envoyés pour distribuer aux enfants des voisins. Regardez. Chacun est différent. Pas facile de satisfaire tout le monde. Alors, j'ai décidé de les faire tirer au sort. Je pourrai ainsi éviter le problème d'en choisir un pour chaque enfant.

— Vous avez raison, dis-je.

Elle me prépare une tasse de thé et continue à parler de ses fils et de leur famille qui reviendront au Japon pendant les vacances d'hiver.

— Hier soir, ma petite-fille de dix ans m'a chanté une chanson coréenne au téléphone. C'était très mignon. Elle parle l'anglais, l'espagnol et un peu de coréen. Sa mère est Mexicaine... Après la mort de mon mari, mon fils cadet m'a invitée à aller vivre là-bas avec sa famille, mais j'ai refusé. Je suis heureuse ici en compagnie de nos compatriotes et de nos voisins japonais...

Madame Kim arrête de parler un moment et me regarde :

— Vous avez mauvaise mine. Vous êtes malade ?

— Non. Je n'ai guère dormi. C'est tout, dis-je. En fait, je reviens ici parce que je voudrais vous demander une faveur...

Elle sourit :

— N'importe quoi ! J'espère que je pourrai vous rendre service.

Je prends le cahier de ma mère dans mon sac à main et le pose sur la table. Elle regarde avec curiosité la couverture sur laquelle rien n'est écrit.

— Qu'est-ce que c'est ? Ce vieux papier me rappelle l'avant-guerre, dit-elle.

— C'est le journal que ma mère m'a donné peu avant sa mort.

Elle répète :

— Le journal de votre mère ?

— Oui. Pourriez-vous le lire ?

— Vous le lire ? Pourquoi ?

Elle prend ses lunettes et se penche à nouveau sur le cahier. Dès qu'elle tourne la couverture, elle s'écrie :

— Votre mère était Coréenne !

Elle me dévisage, stupéfaite. Je fais un signe de tête. Un moment après, elle murmure :

— Ça veut dire que vous aussi, vous êtes Coréenne…

— Je le suis à moitié, au moins, dis-je.

— À moitié ? Votre père n'était-il pas Japonais ?

— Je ne sais pas.

— Vous ne savez pas ! Comment ?

— J'étais enfant naturelle. Ma mère ne m'a jamais parlé de mon père.

Je me tais. J'ai peur de sa réaction. L'autre jour, je n'ai pas dit la vérité. Madame Kim fixe longuement des yeux la première page du journal. Il me semble qu'elle ne lit pas. Elle a l'air de réfléchir. Je baisse les yeux. Elle demande :

— Votre mère a-t-elle aussi été tuée lors du tremblement de terre ?

— Je crois que oui. Elle a disparu le lendemain, après m'avoir laissée en sécurité dans une église. Elle est allée à la recherche de son frère, qui travaillait alors à la digue d'Arakawa.

— Et qu'est-ce qui lui est arrivé, à votre oncle ?

— Je ne sais pas exactement. Il n'est pas revenu, pas plus que ma mère.

— Mon Dieu… Pauvre de vous !

Madame Kim enlève ses lunettes et dit :

— C'est pour cette raison que vous êtes venue l'autre jour sur la digue. Cela a dû être pénible pour vous d'assister à cette exhumation.

Elle écrase une larme au coin de l'œil. Je me tais. Après un moment, elle demande, hésitante :

— Votre famille, est-ce qu'elle connaît cette histoire ?

Je secoue la tête, sans la regarder :

— Non. Personne ne la connaît.

— C'est ce que je pensais… Mais, au moins, votre défunt mari japonais devait connaître votre origine coréenne. Lors du mariage, l'identité de l'épouse est toujours inscrite sur le *koseki*.

Je dis :

— J'étais déjà Japonaise avant notre mariage.

— Comment ça ?

Je raconte ce que le prêtre de l'église a fait pour m'obtenir la nationalité japonaise.

— Je n'avais pas le choix de la refuser, dis-je. Il a fait de son mieux en pensant à mon avenir.

— Alors, votre mari vous a épousée sans connaître votre origine ?

— Oui.

Madame Kim ne sait plus que dire. Un silence lourd s'installe. Nous entendons seulement le tic-tac de la pendule. Je retiens mon souffle. Il me semble que la lourdeur durera éternellement si je ne le romps pas. Je dis :

— Mon fils est bien instruit et travaille dans une bonne compagnie. J'ai maintenant trois petits-enfants. Je mène une vie tranquille avec sa famille. Je ne pourrai jamais bouleverser leur existence avec mon histoire. Veuillez le comprendre, s'il vous plaît…

Je reste coite pendant quelques instants. Madame Kim couvre son visage de ses mains :

— Quelle complication ! Quel fardeau !

J'essaie de retenir mes larmes, mais en vain. Je sanglote. Elle me tend un mouchoir de papier. En essuyant mes joues, je me rends compte qu'il y a longtemps que je n'ai pas pleuré.

Une fois que je suis calmée, madame Kim reprend ses lunettes et regarde de nouveau la première page du journal de ma mère. Elle dit :

— Je crois, à voir sa belle écriture, que votre mère était quelqu'un d'instruit.

Je dis :

— En Corée, elle était professeur dans un collège pour filles.

— Professeur ? Pourquoi a-t-elle quitté le pays ?

— Mon oncle et elle étaient poursuivis par les Japonais à cause de leur activité pour l'indépendance.

— Alors, votre mère et votre oncle sont des héros de notre patrie. Quel dommage ! Vous ne pouvez pas le dire à votre famille.

Madame Kim commence à lire le journal, en me le traduisant. Les yeux fermés, je l'écoute. Ma mère a noté tous les événements concernant la vie des Coréens qu'elle a côtoyés. Les dates ne se suivent pas toujours, il manque parfois des jours, parfois des semaines. Il me semble qu'elle a envoyé ces informations en Corée où ses camarades ont continué le mouvement pour l'indépendance. Elle n'a rien écrit à mon sujet. Elle n'a même pas mentionné mon nom, ni celui de son frère.

Après avoir lu la moitié du journal, madame Kim dit :

— C'est un document précieux pour l'histoire coréenne d'ici.

Je ne réponds pas. Elle continue à lire. Le jour du tremblement de terre s'approche. Je me tends. Quand elle prononce la date « le premier septembre 1923 », un frisson me passe dans le dos. Ma mère a décrit exactement ce qui s'est passé ce jour-là. « Où est-ce qu'elle a noté ces choses ? » J'essaie de me rappeler. Elle avait dû le faire au sommet de la colline pendant que je dormais sur ses genoux.

Madame Kim dit en tournant la page :

— Le journal se termine ici.

Elle feuillette le cahier jusqu'à la dernière page et dit :

— Ah, il y a quelques mots dans le plat verso. C'est une écriture rapide. Votre mère a dû les écrire à la hâte. Il n'est pas facile de les déchiffrer. Attendez…

Elle lit en examinant chaque mot : « Le 2…
septembre… 1923… Pour… ma… chérie… l'enfant
… de … monsieur … » Là, elle s'arrête un moment.
Elle réfléchit. Je me le répète : « Pour ma chérie,
l'enfant de monsieur qui ? » Mon cœur bat à grands
coups. Je fixe les lèvres de madame Kim. J'attends.
Elle cherche encore le caractère suivant. Et tout d'un
coup, elle s'exclame : « Monsieur Tsubame ! »

« Quoi ? Monsieur Tsubame ? C'est le prêtre
étranger de l'orphelinat ! » Madame Kim me
regarde. Sur son visage, je vois celui de madame
Tanaka, qui dit : « Mariko, nous les femmes, nous
l'avons surnommé monsieur Tsubame. »

Ébahie, je demande à madame Kim :

— Pourriez-vous le lire encore une fois ?

Elle répète en confirmant :

— « Le 2 septembre 1923. Pour ma chérie,
l'enfant de monsieur Tsubame. »

Elle ôte ses lunettes et me rend le journal :

— Alors, vous avez maintenant appris qui était
votre père. Connaissez-vous cette personne qui
s'appelle monsieur Tsubame ?

— Non…

Elle dit en souriant :

— C'est la première fois que j'entends Tsubame
comme nom de famille en japonais. C'est peut-être
un surnom.

Je ne réponds pas. Je remets le journal de ma
mère dans mon sac à main et dis :

— Pardonnez-moi de ne pas vous avoir dit la
vérité l'autre jour. J'en étais incapable.

— Ne vous en faites pas. Je comprends bien votre situation. Je ne raconterai jamais votre histoire à personne.

Je m'incline profondément. Elle ajoute :

— Vous n'êtes pas responsable de votre fardeau. Personne n'a le droit de vous en accuser.

En buvant du thé, elle tente de changer de sujet et parle de sa fille. Je ne peux plus me concentrer, quoi qu'elle dise. Ma tête est tout occupée par l'image du prêtre étranger. « Monsieur Tsubame, c'était mon père… » Je me rappelle que ses parents étaient morts à cause d'une guerre en Europe. De quel pays s'agissait-il ? Suis-je alors à moitié Européenne ? Les cheveux du prêtre étaient tout noirs. Ses yeux étaient bruns… C'était un homme très grand. Comment ma mère l'avait-elle rencontré peu après son arrivée au Japon ?

Je regarde la pendule sur le mur. Il est déjà cinq heures de l'après-midi.

Quand je la quitte, madame Kim me donne son numéro de téléphone sur un bout de papier. En le prenant, je pense que je ne l'utiliserai pas pour lui rendre visite une autre fois.

Aujourd'hui, nous sommes le neuf septembre. Après l'école, Tsubaki joue avec son amie, Yumiko, qui est maintenant remise de son opération. Assises sur l'*engawa*, elles dessinent en bavardant. J'arrache les mauvaises herbes dans le jardin potager. La saison des légumes est presque terminée. Les feuilles de citrouille et de melon d'eau sont flétries. Quelques concombres restent accrochés aux sarments enroulés sur une tige de bambou. Je ramasse les herbes que j'ai laissées par terre l'autre jour. Elles sont bien sèches. Il n'y a pas de vent. Je décide de les brûler.

J'entends Tsubaki dire à Yumiko :

— J'ai une surprise pour toi !

Elle entre dans la maison et apporte des livres. Elle lui dit :

— Ma grand-mère nous a acheté le même livre à chacune.

Yumiko s'exclame :

— *Oyayubi-hime !* Je voulais l'avoir depuis longtemps.

Aussitôt, elle descend de l'*engawa* et s'approche de moi en courant :

— Merci ! dit-elle en serrant le livre contre sa poitrine.

Je me baisse vers elle et regarde ses yeux qui brillent de joie. Je souris :

— Cela me fait plaisir. Je suis contente que tu sois complètement guérie…

Elle retourne à l'*engawa*. Toutes les deux regardent les images du livre en répétant : « Ah, c'est beau ! » Ensuite, elles lisent ensemble.

En écoutant l'histoire, je continue à arracher des herbes. Dans ma tête défilent les images des animaux que Poucette rencontre l'un après l'autre : les crapaudes, les poissons, les papillons, la souris, la taupe… Quand je vois l'image de l'hirondelle qui part vers les pays chauds en portant Poucette sur son dos, je pense au prêtre étranger. Il me regarde. Dans ses bras, il tient Yukio, son petit-fils.

Quand Yukio avait quatre ans, j'ai travaillé quelques mois à l'église. Yukio y restait avec moi en jouant avec de petits orphelins. C'est la seule occasion où le prêtre a passé du temps auprès de Yukio. Il m'a présenté un homme charmant du nom de Takahashi. Nous nous sommes mariés. Lorsque j'ai dit au prêtre : « Yukio et moi allons partir à Nagasaki avec mon mari », il a eu l'air triste. Il me répétait : « N'oublie pas que tu peux revenir ici en tout temps. »

Je ramasse des branches tombées par terre et les place sur les herbes. Je pousse du papier journal au fond et je frotte une allumette. Les herbes s'enflamment peu à peu et le feu s'étend aux branches. Je le regarde distraitement.

Je pense au journal de ma mère. J'entre dans la maison le chercher et l'apporte devant le feu. Je caresse la couverture jaunie et le met sur les branches à moitié allumées. Les coins du cahier prennent feu en se retournant. Les papiers noircis s'élèvent et se balancent dans l'air. J'entends ma mère dire : « Rien n'est plus précieux que la liberté. » Mes larmes tombent. Je me dis : « Adieu, maman ! » Au même moment, Tsubaki crie :

— Regarde ! *Tsu-ba-me !*

Elle désigne le toit. Là, je vois une hirondelle sur le bord du nid sec. Yumiko dit, excitée :

— Elle est là ! Elle est revenue chercher Poucette.

Une autre hirondelle arrive. Tsubaki dit :

— Mais non ! C'est un couple, papa et maman.

Toutes les deux observent les oiseaux, qui demeurent immobiles. Tsubaki dit :

— J'espère que le couple reviendra chez nous l'année prochaine.

Les hirondelles s'envolent. Les enfants crient en agitant la main :

— Bon voyage !

Les hirondelles volent en se suivant l'une l'autre comme un couple. Je les regarde jusqu'à ce qu'elles deviennent des taches noires dans le ciel bleu.

La première neige tombe. Nous sommes dimanche. L'après-midi, je reste seule à la maison. En rangeant la commode dans ma chambre, je trouve un morceau de papier plié en quatre dans un tiroir. C'est le numéro de téléphone de madame Kim. Cela fait déjà trois mois que je l'ai vue. Au moment de le jeter à la poubelle, je vois l'image de madame Tanaka. J'essaie de me rappeler le visage de madame Kim. Je reprends le papier et je compose le numéro.

— Allô...

Au bout du fil, j'entends la voix d'une femme, mais pas celle de madame Kim. Comme je ne réponds pas tout de suite, la femme répète :

— Allô ?

Je dis, hésitante :

— Je me suis peut-être trompée de numéro. Je voudrais parler à madame Kim.

La femme dit :

— Elle est décédée.

« Quoi ? » Je n'en crois pas mes oreilles. La femme dit :

— Elle est décédée d'une crise cardiaque il y a deux mois. Je suis une voisine, mais vous pouvez me laisser votre message. Je vais le remettre à sa fille, qui reviendra demain.

Désorientée, je reste sans voix. La femme poursuit :

— Quel est votre nom et votre numéro ?

Je dis :

— Vous n'avez pas besoin de les noter. Je ne connais pas sa fille.

La femme raccroche. Je me rends compte que c'est la voix de la voisine de madame Kim qui a ap-porté des épis de maïs dans un panier de bambou.

Je m'assieds sur la chaise près de la fenêtre. Le jardin est légèrement couvert de neige. Je lève les yeux vers le ciel gris. Je pense à madame Kim. Son visage et celui de madame Tanaka se superposent encore. La femme que les enfants appelaient *Obâchan*. En grillant des *hamaguri*, elle me dit : « Mariko, tu vas rencontrer l'homme qui te rendra heureuse. »

Je vois dans le jardin le prêtre laver des *daïkon*. Il pompe l'eau du puits dans le seau en bois. Madame Tanaka sort de l'église avec le petit garçon. Il court en lançant un avion de papier. Le prêtre le prend dans ses bras. Je me penche par la fenêtre et l'appelle : « Monsieur Tsubame ! » Il me sourit. L'enfant tourne la tête vers moi. C'est Yukio. Il agite sa main : « Maman ! »

GLOSSAIRE

Amado : portes coulissantes de bois que l'on ferme par sécurité ou contre la pluie.

Arirang ou *Ariran* : chanson coréenne, folklorique ; nom d'un col.

Chima-chogori : costume coréen pour les femmes ; *chima* : longue jupe ; *chogori* : veste courte portée par-dessus le *chima*.

Chôsenjin : Coréens.

Daïkon : radis blanc japonais.

Engawa : véranda oblongue en bois pour s'asseoir, installée devant la pièce à tatamis.

Genmaï : riz complet.

Hakama : jupe longue et plissée, portée par-dessus le kimono par les femmes ; désigne aussi le pantalon large porté dans la cérémonie ou dans certains arts martiaux.

Hamaguri : palourde japonaise.

Hangûl : alphabet coréen.

Hanmun : idéogrammes chinois.

Hibachi : brasero au charbon de bois.

Hiragana : écriture syllabique japonaise.

Ijime : brimade.

Jishin : tremblement de terre.

Kanji : idéogrammes chinois.

Kanto-daïshinsaï : nom du tremblement de terre qui s'est produit dans la région du Kanto, en 1923. Séisme de force 7,9 qui a fait 140 000 morts et disparus. Les villes de Tokyo et Yokohama ont été détruites. Profitant du désordre et de la panique, le gouvernement japonais a tenté de supprimer les socialistes et les Coréens, dont le pays était une colonie japonaise à l'époque. Cinq à six mille Coréens ont été massacrés par l'armée, la police, des groupes d'autodéfense.

Daïshinsaï : grand désastre sismique.

Katakana : écriture syllabique japonaise.

Kika : naturalisation.

Kimchi : aliment coréen, légumes marinés épicés pour accompagner le riz.

Kirisuto : Jésus.

Koseki : état civil fixant le domicile légal de la famille dont tous les membres portent le même nom.

Maria : Marie.

Nagaya : rangée d'habitations mitoyennes sous le même toit.

Niezabudoka : prononciation japonaise du mot russe *Незбу́дка*, qui signifie myosotis (ne m'oubliez pas).

Niizuma : nouvelle femme.

Nisei : seconde génération des immigrants.

Obâchan : grand-mère, vieille femme.

Onêchan : sœur aînée.

Onigiri : boule de riz, généralement enveloppée de *nori* (feuille d'algue séchée).

Oyayubi-hime : titre en japonais du conte *Poucette* de H. C. Andersen. *Oyayubi* : pouce ; *hime* : princesse.

Randoseru : cartable à bretelles.

Shôgi : jeu d'échecs japonais.

Tsubaki : camélia.

Tsubame : hirondelle.

Wagatsuma : ma femme.

Wasurenagusa : myosotis (ne m'oubliez pas).

Zabuton : coussin japonais utilisé pour s'asseoir sur les tatamis.

Zaïnichi : résident étranger au Japon.

BABEL

OUVRAGE RÉALISÉ
PAR L'ATELIER GRAPHIQUE ACTES SUD
REPRODUIT ET ACHEVÉ D'IMPRIMER
EN AVRIL 2021
PAR NORMANDIE ROTO IMPRESSION S.A.S.
À LONRAI
POUR LE COMPTE DES ÉDITIONS
ACTES SUD
LE MÉJAN
PLACE NINA-BERBEROVA
13200 ARLES

DÉPÔT LÉGAL
1re ÉDITION : 3e TRIMESTRE 2007
N° impr. : 2101992
(Imprimé en France)